D1027465

# LES VIES TURBULENTES DE LADY M

Du même auteur

*Ce crétin de prince charmant*, Mango, 2003
*Mes amies, mes amours… mais encore ?*, Mango, 2005
*Lettres à ma fille*, Mango, 2006
*Lettres à mon amour*, Mango, 2007
*Lettres à ma mère*, Mango, 2007
*Lettres à mon frère*, Mango, 2007
*Lettres à ma sœur*, Mango, 2007
*Lettres à mon père*, Mango, 2008
*Diaporama*, Fleuve Noir, 2008
*Lettres d'adieu*, Hugo et Cie, 2008
*Dans l'intimité des écrivains français*, Eyrolles, 2009
*Nos (pires) meilleures vacances*, Fleuve Noir, 2010
*L'amour foot*, Fleuve Noir, 2010
*Nos (pires) meilleures vacances à Las Vegas*, Fleuve Noir, 2012
*Messie malgré lui*, Fleuve Noir, 2013
*Rien de personnel*, Fleuve Éditions, 2014

Avec Samir Bouadi
*La Coupe du monde et autres footaises*, Mango, 2006
*26,5 auteurs qui n'existent pas mais qu'il faut absolument avoir lus*, Marabout, 2008
*L'affabuleuse histoire vraie de Jules Cardot*, Fleuve Noir, 2010

Avec Samir Bouadi et Éric Faure
*Traité ultime voire définitif des banalités, à l'usage des gens exceptionnels qui ne veulent plus le rester*, Marabout, 2007

AGATHE COLOMBIER HOCHBERG

# LES VIES TURBULENTES DE LADY M

Fleuve Éditions, une marque d'Univers Poche,
est un éditeur qui s'engage pour
la préservation de son environnement
et qui utilise du papier fabriqué à partir
de bois provenant de forêts gérées
de manière responsable.



ISBN : 978-2-265-09837-4

Du bout de sa fourchette, la distinguée septuagénaire tâte ses œufs brouillés pour en évaluer la consistance. Parfaits, ils sont tout simplement parfaits. Après les avoir généreusement salés et poivrés, elle en savoure chaque bouchée, puis pousse un soupir d'aise. C'est le moment où Emma Dubreuil se sert sa première tasse de café, qu'elle boit à petites gorgées, en observant les rayons du soleil se faufiler à travers les armatures géométriques de la tour Eiffel. La vaste salle à manger jouit d'une hauteur sous plafond de 4 mètres, et tandis qu'y retentissent les notes de *Daphnis et Chloé,* Emma se sent emplie de reconnaissance envers la vie, l'univers tout entier, pour avoir la bonté de la combler de tels instants de bonheur.

Elle repose sa tasse et cherche des yeux la corbeille de croissants. La voilà, dissimulée sous une pile de courrier. Il en faut plus pour se mettre entre elle et une viennoiserie ; elle déplace les enveloppes et achève sereinement son petit déjeuner. C'est seulement après avoir dégusté une deuxième tasse de café que, sentant une pointe de culpabilité, elle jette un coup d'œil au courrier qui l'attend. Tout en jouant avec la ceinture de son kimono de soie, Emma hésite un moment, puis consent enfin à s'emparer des enveloppes, qui ont été préalablement décachetées avec un coupe-papier. Elle les passe en revue : une invitation à un vernissage, un bristol annonçant le décès d'une lointaine relation, diverses publicités, et un courrier de sa banque, qu'elle repose sans avoir daigné en prendre connaissance.

On ne gâche pas une si belle journée avec des considérations matérielles, et après avoir profité encore un peu de la vue spectaculaire qui s'offre à elle, Emma quitte la salle à manger.

Quelques minutes plus tard, un maître d'hôtel strictement vêtu d'un pantalon sombre et d'une veste croisée fait son apparition. Après avoir déposé les vestiges du petit déjeuner sur un plateau, il extrait le courrier bancaire de la pile et le glisse dans sa poche. Il regagne ensuite la cuisine, ouvre un tiroir dans lequel est rangée une large enveloppe kraft sur laquelle on lit « Gabriel », et y ajoute la lettre de la banque en secouant la tête d'un air navré.

Un éclat de rire viril salue la démonstration d'Hervé. Ce soir, ce sont des collègues de travail qu'il a réunis autour de la table ; venus en célibataires, ils constituent un public idéal pour le petit speech au cours duquel le jeune homme fustige avec talent les principaux membres du gouvernement. Un laïus bien rodé qu'il sert à chaque dîner, lorsque la conversation s'essouffle un peu et qui est devenu un classique, un peu comme le canard à l'orange qu'il demande à Juliette de cuisiner pour les relations d'affaires qu'il cherche à impressionner. Ravis de découvrir qu'ils ont la même sensibilité politique, les invités décomplexés y vont alors de leurs petits commentaires acerbes, rivalisant de saillies plus ou moins heureuses ; peu importe, ils se sont reconnus, et cela seul justifie l'ouverture d'une autre bouteille de graves.

En retrait, Juliette ne dit rien. Dans les premiers temps, lors de ces dîners qu'elle trouvait toujours trop longs, elle s'amusait à observer les différents convives qui constituaient le cercle d'Hervé ; pour la plupart, des amis rencontrés à l'école de commerce qu'il a fréquentée ou des relations professionnelles.

Mais elle s'en était vite lassée – il faut dire que rien ne les distinguait les uns des autres ; d'ailleurs leurs compagnes aussi semblaient faites dans le même moule, et s'efforcer de leur faire la conversation était devenu un sacerdoce pour Juliette.

Elle s'acharne encore un peu sur la mie du pain qu'elle a soigneusement dépecé au fil du repas, puis décide d'accélérer le mouvement ; s'ils partent avant minuit, elle aura peut-être le courage de revoir l'introduction de sa thèse avant d'aller se coucher. Ce texte, elle l'a écrit après avoir achevé la rédaction des six cents pages constituant l'aboutissement de ses recherches. Autant dire qu'il symbolisait une joyeuse délivrance. Mais ce sont précisément ces quelques pages qui ont été retoquées par sa directrice de thèse.

« Pas assez percutant. Plat. Et trop court. Manque de rigueur. Si vous ennuyez le jury au bout de quelques minutes, comment voulez-vous retenir leur attention durant trois heures ? »

Un jugement sans appel, et Juliette était rentrée chez elle la mort dans l'âme. Au terme de quatre années passées à comparer la façon dont la France, la Grande-Bretagne et l'Allemagne avaient traité les questions relatives à la procréation médicalement assistée dans leurs systèmes législatifs respectifs et les conséquences de leurs choix dans la société, la simple évocation de ce sujet lui donnait la nausée. Il faudrait bien pourtant qu'elle retrouve l'inspiration, car sa soutenance avait été fixée pour le mois suivant.

Il ne lui reste plus qu'une semaine et la nouvelle version est loin d'être satisfaisante. La douleur lancinante qui a depuis peu élu domicile dans ses cervicales se réveille, lui rappelant qu'il n'y a plus une minute à perdre. Il est grand temps de passer au fromage. En quelques instants, elle débarrasse la table, dresse un plateau et remplit la corbeille de pain avec la précision d'une restauratrice chevronnée. Lorsqu'elle rejoint les invités, c'est tout juste si elle entend la question que lui pose Jean-Louis, le plus proche collaborateur d'Hervé, sur l'avancement de son mémoire.

Renonçant à lui expliquer la nuance entre une thèse et un mémoire – elle est pourtant de taille –, Juliette commence à évoquer la difficulté que lui cause l'introduction, puis s'interrompt lorsqu'elle réalise que Jean-Louis ne la regarde pas ; il ne semble même pas écouter sa réponse, tout occupé qu'il est à étudier les différents fromages, n'hésitant pas à y enfoncer la pointe de son couteau afin d'en estimer la fermeté. Elle le laisse se servir, persuadée qu'il la relancera dès qu'il aura fini, mais non, il commence à manger et s'adresse maintenant à son voisin. Se souvenant soudain qu'il vient de poser une question à son hôtesse, il se tourne à nouveau vers elle.

— Ça fait combien de temps que tu travailles sur ton mémoire ?

— Ce n'est pas un mémoire, c'est une thèse, corrige-t-elle, franchement agacée. J'y suis depuis quatre ans. Mais ça y est, j'ai terminé.

— Quatre ans ! Autant dire quatre ans de vacances ! J'ai toujours envié les thésards…

Jean-Louis éclate de rire et se ressert du fromage. Juliette l'observe, médusée. Quel con. En plus, il a coupé le nez du brie. Elle cherche du soutien dans le regard d'Hervé, mais lui aussi l'ignore – à croire qu'elle est devenue transparente.

Restée debout, les bras ballants, elle cherche un prétexte pour quitter la pièce et saisit une bouteille d'eau vide.

Dans la cuisine, elle fait les cent pas, ce qui, étant donné l'exiguïté de la pièce, la condamne à tourner en rond autour de la table centrale. Prenant conscience qu'elle ressemble étrangement à un hamster pédalant dans sa roue, elle ne tarde pas à s'immobiliser, surtout que le bruit de ses talons, qui résonnent avec éclat sur le carrelage de la cuisine, doit intriguer les convives. Elle est furieuse, et surtout déçue de voir avec quelle facilité son compagnon, qui, la veille encore, se disait fou d'amour pour elle, oublie jusqu'à son existence dès qu'ils sont en société. Pas n'importe laquelle : la sienne. Lorsque c'est lui qui s'ennuie en présence d'amis de Juliette, il ne la lâche pas d'une semelle et, aussi tenace qu'un enfant capricieux, lui demande tous les quarts d'heure à quel moment ils vont rentrer.

Ce n'est pas la première fois qu'elle se sent seule à ses côtés, mais cela fait partie des choses qu'elle a soigneusement occultées depuis qu'elle connaît Hervé. Parce que avec lui, elle a décidé que ça marcherait. Elle a trente ans, une vie d'adulte à mener, et en collant bout à bout le temps qu'elle a consacré à se remettre de ses chagrins d'amour successifs, elle estime avoir gaspillé un bon tiers de son existence. Hervé, donc.

Mais pas à n'importe quel prix.

Prise d'une pulsion, elle se rend dans sa chambre, enlève sa robe noire à la coupe sobre, fait valdinguer ses escarpins à l'autre bout de la pièce et enfile un T-shirt bleu, un jean et des baskets. Si elle doit continuer à supporter des invités qui ne font pas cas de sa présence, autant qu'elle se mette à l'aise ; ils n'oseront pas lui faire de remarque et Hervé ne lui en voudra pas.

Se sentant libérée, elle regagne le salon, se sert du fromage, et sourit aimablement à chaque convive dont elle croise le regard. Ceux-ci lui rendent son sourire, puis poursuivent leur conversation. Comme prévu, aucun des collaborateurs d'Hervé ne se permet le moindre commentaire sur son changement de tenue. Quelques minutes s'écoulent avant que l'évidence lui saute enfin aux yeux : en réalité, personne n'a remarqué. Enfin, Hervé s'en est forcément rendu compte ; s'il se tait, c'est par discrétion. Assis à côté d'elle, il écoute avec intérêt son vis-à-vis, et afin d'attirer son attention, Juliette pose sa main sur la sienne et la caresse doucement. Au bout d'un temps qui lui semble infini, il tourne enfin la tête et la fixe d'un air serein. À cet instant, son regard exprime à la fois une tendresse et une indifférence totales. Deux sentiments que Juliette n'aurait jamais crus compatibles.

Il n'a rien vu.

À peine a-t-elle débarrassé la table qu'elle reprend résolument le chemin de sa chambre, désireuse de pousser plus loin l'expérience. Elle ouvre sa penderie, passe en revue ses vêtements et opte pour un changement radical : un pantalon blanc et une chemise en soie rouge. Avec sa longue chevelure rousse, impossible que la couleur ne leur saute pas aux yeux. Elle a bien une paire de sandales qui va parfaitement avec cette chemise, mais pas la moindre idée de l'endroit où elle les a rangées. Aucune importance, elle restera pieds nus. Petit détour par la cuisine pour prendre le dessert, qu'elle pose cérémonieusement sur la table.

— Charlotte aux fraises ! clame-t-elle, prenant un plaisir certain à interrompre leur discussion.

Tous réagissent avec enthousiasme, mais sa nouvelle tenue les laisse de marbre, et le seul rouge qui retient leur attention est celui des fruits qui parsèment leurs assiettes.

Abattue, Juliette se rassied ; cette fois, c'est la cuisse d'Hervé qu'elle caresse, avide d'éveiller son désir et de trouver du réconfort dans le signe entendu d'étreintes à venir. Pourtant, lorsqu'il pose à son tour la main sur la sienne, ce n'est pas pour la gratifier d'une promesse silencieuse, mais pour l'immobiliser fermement, et à travers le petit sourire qu'il lui alloue, le message est clair : « Pas maintenant. »

De toute évidence, lui non plus n'a toujours rien remarqué.

Après le départ des invités, au lieu de se précipiter sur son ordinateur, Juliette commence à laver la vaisselle. Comme chaque fois qu'ils reçoivent des amis à lui, Hervé passe la tête dans la cuisine le temps de lui dire qu'il va venir l'aider, et elle ne répond rien, trop habituée à ce que ce ne soit jamais le cas, trop fière pour le lui faire remarquer. Puis elle traîne dans le salon, retardant le plus possible le moment de regagner la chambre. Lorsqu'elle rejoint enfin son compagnon, il dort depuis longtemps. Elle s'allonge près de lui et passe avec tendresse la main dans ses boucles châtains. Puis contemple durant de longues minutes le visage de l'homme auprès de qui elle s'apprête à passer sa vie et qui vient de lui octroyer le pouvoir d'invisibilité.

Ça ne marchera pas avec lui non plus, elle le sait pertinemment. Elle le sait depuis longtemps déjà.

— C'est un grand bonheur de t'accueillir ici, ma chérie, mais tu sais que, malheureusement, je serai partie dans un mois…

Juliette rassure sa grand-mère, elle a simplement besoin d'un endroit où se poser en attendant d'avoir trouvé un studio à louer.

Emma a une voix d'une incroyable douceur, enveloppante, chaleureuse, sensuelle, qui laisse transparaître un léger accent anglais. Une voix qui n'a pas changé au cours des années, si bien qu'au téléphone, tous ceux qui ne connaissent pas leur interlocutrice sont convaincus qu'ils sont en train de parler à une jeune femme.

Allongée avec grâce sur un divan Récamier recouvert de velours prune, elle tourne volontairement le dos aux cartons qui s'entassent dans un coin de son salon, et qui matérialisent chaque jour un peu plus son exode prochain. Son fauteuil est orienté vers la fenêtre, lui laissant le loisir de contempler « sa » tour Eiffel, comme elle aime à le dire.

— Je ne sais pas comment je m'y ferai, poursuit-elle. Tu sais, je ne me suis jamais habituée à tant de beauté. Après la mort de ton grand-père, c'est cette vue qui m'a redonné goût à la vie. Et tous les matins, lorsque j'ouvre mes rideaux, je suis éblouie comme au premier jour.

Depuis quarante-cinq ans, la plus parisienne des ladies britanniques habite un vaste appartement situé dans un immeuble cossu du VIIe arrondissement. Elle y a emménagé après la mort de son époux, fuyant les lieux où il avait été foudroyé par une crise cardiaque sous ses yeux, alors qu'ils venaient de célébrer leur première année de mariage. Six mois plus tard, elle avait mis au monde son fils unique. Elle l'avait élevé seule, sans jamais envisager de convoler de nouveau, ou même de renouer avec la vie maritale, malgré l'insistance de ses prétendants.

À la tête d'un patrimoine confortable, Emma n'a jamais eu besoin de travailler, un luxe d'autant plus appréciable que sa carrière de danseuse étoile lui offrait peu de possibilités. Une étoile particulièrement éphémère : elle avait quitté le Royal Opera House de Covent Garden pour la danse moderne, était devenue la première femme blanche à intégrer la troupe d'Alvin Ailey, mais n'y était restée qu'une saison. « C'était trop fatigant », avouait-elle sans ambages aux interlocuteurs qui l'interrogeaient sur sa courte carrière. Des innombrables heures passées à la barre, l'ancienne ballerine avait toutefois conservé un port de reine et une distinction que le temps n'avait pas émoussés, ainsi qu'une perpétuelle quête de perfection.

Durant des décennies, Emma, dont la générosité était légendaire, avait vécu dans un faste dont elle avait fait profiter tout son entourage. Parce que c'était une épicurienne, mais aussi parce que la mort prématurée de son époux l'avait confortée dans l'idée qu'il fallait jouir pleinement de la vie, toujours avide de reprendre les cadeaux qu'elle vous fait. Hélas, au fil des ans, c'est toute sa fortune que la cigale avait dilapidée sans songer à l'avenir, et lorsque son fils, qui faisait pourtant carrière dans la finance, s'était rendu compte de l'étendue des dégâts, il était trop tard pour redresser la situation. Car Emma ne s'était pas contentée de dépenser sans compter ; une fois son capital épuisé, elle avait contracté des prêts qu'elle n'était naturellement pas en mesure de rembourser. Refusant d'entendre raison, elle avait ignoré le plus longtemps possible la cruelle réalité, s'efforçant de continuer à vivre comme à la « grande époque ». Le rythme de ses voyages et réceptions ne s'était pas ralenti, elle avait continué à s'habiller chez les grands couturiers et les créateurs les plus pointus, ainsi qu'à déjeuner dans ses palaces favoris.

C'est à ce moment-là que son propriétaire avait décidé de vendre l'appartement qu'elle occupait, et après quelques visites qu'Emma avait vécues comme une insupportable invasion, un accord avait été conclu avec un tiers désireux de prendre possession des lieux au plus vite. Locataire depuis de si longues années, Emma payait un loyer très raisonnable ; elle subit donc de plein fouet l'inflation immobilière qui avait affecté la ville au cours des dernières décennies. Déjà accablée par la perte de son appartement, elle frôla la dépression lorsqu'elle découvrit ceux auxquels son budget la réduisait : adieu les splendides réceptions, les pièces spacieuses, l'immeuble chic situé dans une prestigieuse avenue, et surtout, adieu le tête-à-tête avec la tour Eiffel !

Après une longue période de déni, elle fit enfin face à la situation et décida purement et simplement de quitter Paris. Dans un premier temps, elle avait envisagé de vendre la propriété du Lot-et-Garonne où elle passait ses étés afin d'acheter un appartement dans la capitale, mais elle n'avait pu s'y résoudre. C'était la demeure où son mari était né, celle où leur fils avait grandi ; le jardin où, près des camélias, elle avait vu Juliette faire ses premiers pas... La définition même d'une maison de famille bourrée de souvenirs ; un de ces lieux irremplaçables que l'on pleure pour toujours lorsqu'on a la faiblesse de s'en séparer.

Un jour, cette maison reviendrait à Juliette, qui y regarderait jouer ses propres enfants. Peu de choses étaient encore immuables en ce bas monde, et pour la nostalgique Emma, celle-ci en faisait partie et méritait bien quelques sacrifices.

En agissant ainsi, elle se montrait également fidèle à un autre de ses principes : tout ou rien, mais jamais d'entre-deux. Ainsi, au lieu d'aller dîner dans un restaurant quelconque, elle se permettait encore de fréquenter les palaces qui lui avaient longtemps tenu lieu de cantine, se contentant d'y prendre un thé et une pâtisserie. De la même manière, elle choisit de renoncer à Paris plutôt qu'y vivre chichement ; nombreux étaient les amis qui se feraient une joie de l'héberger lors de ses séjours ; leurs enfants avaient quitté le bercail depuis longtemps et ils disposaient tous d'une chambre disponible dans laquelle ils l'accueilleraient à bras ouverts.

Ce déménagement représentait pourtant un deuil douloureux, et même si l'élégante Anglaise était trop pudique pour s'épancher auprès de ses proches, ses traits tirés parlaient pour elle.

La tête penchée sur le côté, Emma a oublié la présence de sa petite-fille, et elle sursaute lorsque celle-ci vient s'asseoir près d'elle sur le Récamier. Juliette l'a observée en silence durant un long moment, et sa « Granny » ne lui a jamais semblé si vulnérable.

— C'est vrai qu'elle est unique au monde, ta vue, lui dit-elle doucement, mais celle de Casteljaloux est pas mal non plus...

À l'évocation de sa propriété, le visage d'Emma s'éclaire un peu. Située en bordure de la forêt des Landes, elle se trouve en réalité près du village de Houeillès, mais n'étant jamais parvenue à prononcer ce nom correctement, Emma l'a rebaptisée Casteljaloux, un village voisin, aux consonances infiniment plus romantiques.

Et tandis qu'elles contemplent ensemble le spectacle du soleil déclinant sur le Champ-de-Mars, Juliette se dit que sa rupture présente au moins un point positif, puisqu'elle lui permet d'être aux côtés de sa grand-mère à ce moment précis. À son tour de protéger celle qui veille sur elle depuis son premier jour.

Emma fait une entrée remarquée à l'École des hautes études en sciences sociales où Juliette s'apprête à soutenir sa thèse. Appuyée au bras de son fils Gabriel, elle s'arrête dans l'atrium autour duquel s'organisent les huit étages du bâtiment ultramoderne. Les murs se composent de larges panneaux de bois clair et de structures métalliques, le sol est de marbre gris, et de vastes baies vitrées laissent deviner bureaux et salles de cours. Tout y est visible et lumineux, y compris les ascenseurs et le plafond, entièrement constitués de parois en verre. Sans lâcher le bras de son fils, Emma traverse le hall, arborant une attitude aussi majestueuse que si elle menait le cortège d'un mariage royal à l'Abbaye de Westminster. Cependant, son enthousiasme s'émousse lorsque, parvenue dans la pièce où les attend Juliette, elle découvre une simple salle de classe, bien loin de l'amphithéâtre grandiose qu'elle avait imaginé. Des dalles de linoléum gris recouvrent le sol, les murs ont la blancheur d'une chambre d'hôpital et n'ont pour tout ornement qu'un tableau scolaire en émail, immaculé lui aussi.

Côté rue, le mur a été remplacé par une baie vitrée donnant sur une série d'immeubles gris et cubiques ; quelques arbres et bancs ont été plantés çà et là, pour rappeler que des êtres humains résident dans ce paysage tristement urbain.

Cinq tables mises bout à bout accueilleront les membres du jury ; leur font face celle qui est réservée à Juliette et une quinzaine de chaises, placées à l'intention de ses invités et des étudiants venus assister à sa soutenance.

La jeune femme n'a souhaité convier aucun de ses amis ; cela aurait été une source de pression supplémentaire. La présence rassurante de son père et de sa grand-mère lui suffit, et elle les fait asseoir au premier rang, juste derrière elle. D'un geste discret, Juliette leur désigne un groupe de cinq femmes d'âge mûr en grande conversation dans un coin de la pièce.

— Les jurées ! chuchote-t-elle.

— Il y a deux valises dans le fond de la salle, observe son père sur le même ton, c'est à elles ?

— Oui ; il y en a une qui vient de Strasbourg, l'autre de Londres.

— Comme c'est aimable ! se réjouit Emma. On va les inviter à prendre un thé quand tu auras fini...

— La frisée, c'est Amélie Duvivier, précise encore Juliette.

Autrement dit sa directrice de thèse, dont elle leur a si souvent parlé qu'ils ont l'impression de la connaître.

Se tenant bien droite sur sa chaise inconfortable, Emma la dévisage avec curiosité, avant de passer en revue les autres membres du jury. Elle-même brille par son élégance, un style chic au classicisme intemporel, qui laisse toutefois percevoir sa forte personnalité. Pour soutenir dignement sa petite-fille, elle a choisi de porter un collier en or représentant un serpent dont la large tête fixe ses interlocuteurs de ses yeux de rubis ainsi qu'une bague assortie. Ses bijoux ressortent d'autant plus qu'elle est vêtue de blanc, plus précisément d'un ensemble en lin dissimulant habilement ses rondeurs, et mettant en valeur ses splendides cheveux noirs qu'elle refuse de voir blanchir et coiffe toujours avec le plus grand soin. Il y a de nombreuses années, elle a adopté une mise en plis gonflé-bouclé façon années 60, si volumineuse qu'à côté d'elle, Bernadette Chirac semble sortir de chimiothérapie.

Emma couve sa petite-fille de regards fiers et bienveillants, elle a décidé que ce moment serait parfait et s'interdit de faire des reproches à son fils qui pianote constamment sur son smartphone. Assis à côté d'elle, ce dernier est aussi distingué que sa mère, mais son strict costume gris à la coupe classique et son expression concentrée excluent la moindre fantaisie. La cinquantaine, bel homme, c'est un travailleur acharné, et même si sa mère déplore son manque d'humour, elle admire ses compétences dans un domaine qui lui est totalement hermétique. Depuis son plus jeune âge, Emma a regretté son sérieux excessif, l'encourageant même à faire des bêtises pour lesquelles elle lui promettait par avance de se montrer d'une indulgence absolue. Mais Gabriel, persuadé que la disparition de son père l'obligeait à observer un comportement responsable, ne s'était autorisé à suivre son conseil qu'une seule fois : lorsqu'il était tombé amoureux d'une ravissante rousse prénommée Héloïse. Idéaliste au goût prononcé pour l'aventure, la jeune femme n'allait pas tarder à lui donner une fille. Leur union n'avait fait que le confirmer dans son rôle d'homme de devoir, car peu de temps après la naissance de Juliette, son épouse avait délaissé le foyer conjugal pour partir en mission humanitaire. Une mission en ayant appelé une autre, puis une autre, le plus difficile pour Gabriel n'avait pas été de prendre la décision de divorcer, mais plutôt de trouver le moment où sa femme passerait suffisamment de temps à Paris pour lui permettre d'être présente à l'audience fixée par le juge.

C'était donc seul que Gabriel avait élevé Juliette, bénéficiant toutefois du généreux concours d'Emma, toujours disponible pour prodiguer force baisers et câlins à sa petite-fille, et remplir sa vie de fantaisie et de gaieté. Avec leurs différences, chacun d'eux représentait un modèle à ses yeux ; c'est pourtant à son père qu'elle ressemblait le plus, ayant hérité de son sens de la rigueur, et aussi de sa tendance à ne pas dominer ses angoisses.

Il est 10 heures passées de cinq minutes, et Juliette sent justement l'anxiété lui nouer le ventre. Pour la énième fois, elle relit les notes qui lui serviront à présenter son travail, juste avant que le jury ne commence à la déstabiliser en soulignant tout ce qui est matière à critique. « Fil conducteur de ma recherche… Sources normatives… Enjeux sociétaux… » Ça va aller, elle maîtrise son sujet et a anticipé les questions pièges grâce à la lecture des pré-rapports rédigés par deux des membres du jury.

Sur chacune des tables qui leur sont destinées se trouve une bouteille d'eau et un gobelet, la volumineuse thèse et les sacs à main respectifs des jurées, qui les ont posés là bien en évidence, un peu comme des élèves qui auraient réservé leur place pour être sûre d'être à côté de leur copine.

Lorsque Juliette les voit se diriger vers leur table, elle éprouve d'abord une sensation d'engourdissement, puis une bouffée de chaleur qui lui fait tourner la tête. Ses joues sont en feu et elle sent son visage s'empourprer sous ses taches de rousseur. Elle se dépêche de s'asseoir à son tour, et tout en s'éventant avec une fiche cartonnée, compulse encore ses notes. « Évolution des dispositifs juridiques... Environnement juridictionnel... Questions bioéthiques... »

Elle remarque alors que l'un des exemplaires de sa thèse est truffé de post-it. Ils marquent sûrement des désaccords que la jurée ne manquera pas d'exprimer... Sans compter le problème de l'introduction ; elle ne l'a pas assez étoffée et le sait pertinemment, mais entre la rupture et le déménagement...

Sa tête est de plus en plus lourde et elle se retourne afin de trouver du réconfort du côté de sa famille. Inutile de s'attarder sur le visage de son père, tellement angoissé que malgré le sourire qu'il affiche, son visage semble moulé dans un masque mortuaire. En revanche, sa grand-mère lui sourit avec une fierté qu'aucun doute ne vient assombrir. Plus que jamais, il faut s'inspirer de sa légèreté, et Juliette se promet de faire honneur à sa confiance.

Le jury est prêt ; cinq paires d'yeux et de lunettes la fixent. Juliette s'incline devant ses éminentes aînées en affectant une certaine décontraction, prend une profonde inspiration…

Il fait vraiment très chaud ; elle devrait boire un peu avant de commencer. Son bras est lourd et elle tend avec difficulté la main vers sa petite bouteille d'eau… C'est fou ce qu'elle est lourde, elle aussi… Juliette fait un énorme effort pour la soulever. Trop lourde, elle la repose. Le sol l'attire inexorablement. Elle lutte contre l'engourdissement qui gagne du terrain, s'accroche au bord de la table…

Lorsque Juliette reprend connaissance, la première chose qu'elle perçoit est un effluve de Guerlain qu'elle reconnaîtrait entre mille ; elle ouvre péniblement les yeux et distingue une masse sombre – les cheveux de sa grand-mère. Penchée au-dessus d'elle, cette dernière plonge ses yeux noirs et inquiets dans ceux de sa petite-fille.

— Ma chérie ! Tu nous as fait peur ! Comment te sens-tu ?

De grands panneaux blancs. Une grille d'aération. Une autre protégeant un néon. Dissimulant cette vision étrange, son père se penche lui aussi sur elle, le front plus soucieux que jamais et le téléphone en main.

— J'ai appelé un médecin, il sera là dans cinq minutes ; d'ici là, ne bouge surtout pas !

Par réflexe plus que par esprit de contradiction, Juliette tente de se redresser. Impossible. Non, elle ne risque pas de bouger.

La jeune femme revient difficilement à elle ; elle n'a jamais vu ce plafond hideux et se demande où elle peut bien être, quand une troisième tête fait son apparition, celle d'Amélie Duvivier, qui a ôté ses lunettes pour mieux la regarder.

— Il ne faut pas vous mettre dans des états pareils, mon petit ! Vous êtes tout à fait en mesure de soutenir votre thèse : ça se serait très bien passé si vous aviez tenu le coup !

Juliette referme les yeux. Le plafond hideux est celui de la salle 105, elle vient de tourner de l'œil devant le jury qu'elle a mis des mois à rassembler, et transformé ce qui devait être la consécration de quatre ans de travail en performance la plus humiliante de son existence.

— Tu as mal quelque part ? lui demande Emma.

Juliette rouvre les yeux. Non, elle ne souffre pas, et elle a les idées suffisamment nettes pour être anéantie par la honte. Il ne reste qu'une chose à faire, tenter de l'effacer au plus vite en soutenant sa thèse le mieux possible.

— Ça va… J'ai juste besoin de quelques minutes…

Elle se redresse un peu, regarde autour d'elle. À part les trois têtes toujours rassemblées au-dessus de la sienne, la salle est vide, et il n'y a pas la moindre trace du jury.

Paniquée, elle se tourne vers Amélie Duvivier.

— Elles sont où ?

— Les jurées ? Parties, évidemment. Quand elles ont vu dans quel état vous vous êtes mise, elles…

— Je vais très bien ! s'écrie Juliette.

— C'est ce qu'on va voir, dit une quatrième tête, en faisant irruption dans son champ de vision. Je suis le docteur Anjou, et je vais demander à tout le monde de nous laisser, le temps de vous examiner.

Les protestations de Juliette n'y font rien, le jury est bel et bien parti et les trois visages familiers disparaissent à leur tour pour laisser place au médecin. La consultation ne dure que quelques minutes ; comme elle s'y attendait, le médecin diagnostique un simple malaise vagal dû à la fatigue et au stress. Par mesure de sécurité, il lui conseille une consultation en cardiologie, en précisant bien qu'étant donné le contexte, la syncope a probablement pour seule origine l'énorme appréhension de la doctorante.

Dès qu'il est reparti, Aurélie Duvivier vient réconforter son élève à qui elle enjoint de prendre tout son temps pour se remettre ; de toute façon, étant donné l'emploi du temps des membres du jury, il ne sera pas possible de reprogrammer la soutenance avant la rentrée. Elle quitte à son tour les lieux, non sans avoir recommandé à Juliette de suivre à la lettre les conseils de l'urgentiste. Cependant, celle-ci n'envisage pas un instant de faire les examens prescrits, et elle n'a aucun mal à convaincre Emma et Gabriel qu'un séjour à l'hôpital n'est pas indispensable : ils ont l'habitude de la voir perdre ses moyens lorsqu'elle est sous pression.

— Si tu es sûre que ça va aller, je vais peut-être retourner au bureau, lui dit son père. Il y a une réunion sur les *spread* papiers privés et *benchmarks* européens, ce serait bien que j'y sois.

Juliette et sa grand-mère échangent un regard entendu, comme chaque fois que Gabriel emploie des termes incompréhensibles, et l'encouragent à filer.

Avant de prendre le chemin de la sortie, Juliette prend la main d'Emma.

— Il faut que je te parle, lui dit-elle.

Sa grand-mère se rapproche, toute à son écoute.

— J'ai cru que ça y était… Le locked-in syndrome.

Depuis toujours, Emma est celle à qui Juliette confie ses peurs et ses peines, et elle est la seule à connaître sa phobie pour cet état consécutif à un AVC, qui laisse le patient pleinement conscient mais incapable de parler ou de bouger la moindre parcelle de son corps. À l'évocation de cette pathologie, Emma pousse un long soupir de lassitude. Cent fois, elle a expliqué à sa petite-fille que les probabilités qu'elle soit atteinte d'un tel syndrome sont si infimes qu'il n'y avait pas lieu d'y penser, mais elle n'est jamais parvenue à la tranquilliser.

— Tu as eu une crise d'angoisse, ma chérie, dit-elle en affectant un ton plein d'entrain, le médecin a suggéré de vérifier que tu n'as rien au cœur, mais il n'est pas du tout inquiet pour ton cerveau, alors il n'y a aucune raison que tu le sois…

— Je ne parle pas de ce qui vient de se passer, Granny ; je sais bien que c'était juste un malaise… Mais ça ne veut pas dire que je suis à l'abri, et au cas où ça m'arriverait, n'oublie pas que je compte sur toi pour me débrancher.

— *God forbid** ! Il n'y a pas de « au cas où », balbutie-t-elle. Et je t'ai déjà dit qu'il est inconcevable de demander des choses pareilles à sa grand-mère ! D'ailleurs, ce sera à toi de me débrancher quand je serai malade ou sénile…

— Mais c'est juste en cas de locked-in syndrome, tu pourrais faire un effort !

— Un effort ?… Je ne peux pas croire que tu me demandes ça ! En réalité, je n'arrive même pas

* Dieu m'en garde !

à croire qu'on est en train d'avoir cette conversation... Ça y est, à mon tour de me sentir mal... Et dire que j'ai laissé ma trousse de médicaments à la maison... C'est moi qui vais avoir une crise cardiaque... Ou simplement une crise d'hypoglycémie... Je crois qu'un peu de sucre nous ferait le plus grand bien, allons prendre un goûter...

Elle entraîne sa petite-fille dans la rue, fait quelques pas sur le trottoir, et s'immobilise, impressionnée par la perspective qu'offrent les immeubles modernes qui se succèdent à perte de vue.

— Tu es sûre qu'on est toujours à Paris ? demande-t-elle avec circonspection.

— Absolument, sourit Juliette. D'ailleurs, le métro est à deux pas...

— On ne prend pas le métro un jour pareil, proteste Emma qui n'y a pas mis les pieds depuis quarante ans, encore moins avec une malade imaginaire qui parle d'euthanasie...

Un taxi ne tarde pas à passer et il prend sans encombre le chemin du salon de thé préféré de la Britannique. À mesure qu'elles changent de quartier, le soulagement se lit sur le visage d'Emma, mais c'est seulement une fois qu'elles sont confortablement installées à sa table de prédilection et qu'elle a échangé toutes sortes de civilités avec le personnel qu'elle parvient à chasser la requête de Juliette de son esprit.

— On a oublié d'inviter la jurée anglaise ! déplore-t-elle.

— Elle est française mais elle enseigne à Cambridge, précise sa petite-fille. Et elle est sans doute repartie depuis longtemps, tu n'imagines pas son emploi du temps ; pareil pour les autres... Dire que je les ai fait venir pour rien, quelle honte...

— Elles reviendront, ma chérie, ne t'inquiète pas. Une seule chose m'ennuie : que tu sois jugée par des femmes si mal habillées ! Franchement, qui porte encore des robes en tissu éponge ? En 1972, c'était déjà impensable, sauf si c'était du Rykiel...

Juliette soupire ; elle se sent trop lasse pour évoquer le CV à rallonge des pointures qui ont bien voulu étudier son travail, et renonce à faire comprendre à sa grand-mère combien leurs tenues vestimentaires lui importent peu.

— Tu as fixé la date de ton départ ?

— Tout à fait, et je voulais t'en parler. Il y a quelques semaines, j'ai demandé à ton père de m'aider à y voir clair dans ma situation financière. Il a mis le nez dans mes comptes, et quand il m'a dit de quelle somme j'allais disposer pour vivre chaque mois, j'ai cru que j'allais m'évanouir.

— Je sais, soupire Juliette, il va falloir que tu te serres la ceinture.

Sa grand-mère ne semble pourtant pas trop abattue par ce constat ; au contraire, elle lui sourit d'un air énigmatique.

— Eh bien, j'ai beaucoup réfléchi...

Ses années de scène lui ayant donné le goût de la dramaturgie, Emma s'interrompt le temps de commander plusieurs pâtisseries et deux coupes de champagne.

— Je ne comprends pas trop le champagne, Granny. Entre ta ruine et la façon dont je viens de me ridiculiser, il n'y a vraiment rien à célébrer...

— Si, justement ; j'ai pris une grande décision.

Ménageant encore ses effets, elle fait une nouvelle pause, et annonce enfin :

— Je vais recommencer à travailler.

Juliette la regarde, sidérée. Sa grand-mère s'est rendue coupable d'un certain nombre de lubies au cours de son existence, mais l'idée de venir grossir les rangs des demandeurs d'emploi ne lui était encore jamais venue à l'esprit. Cependant, au fur et à mesure qu'elle lui dévoile ses projets, il apparaît que ce n'est pas en tant que future chômeuse qu'Emma a décidé de renouer avec le monde du travail, mais en tant qu'auto-entrepreneur. Un reportage sur les diverses possibilités de reconversion professionnelle des Français en temps de crise lui a en effet donné une idée lumineuse : convertir sa maison de campagne en chambres d'hôtes.

Aussitôt, les questions se bousculent sur les lèvres de Juliette, qui s'inquiète notamment des conditions requises pour exercer ce genre d'activité, mais rien ne vient ébranler l'enthousiasme juvénile de sa grand-mère. Bien sûr, il faudra s'adapter et Emma se doute que ce ne sera pas toujours agréable d'avoir des étrangers chez elle, toutefois cela lui permettra de financer l'entretien de sa propriété et de vivre plus confortablement. Indifférente aux réserves de sa petite-fille, elle finit de déguster son millefeuille en laissant échapper des petits soupirs d'extase. Bien qu'elle se nourrisse exclusivement de produits issus de l'agriculture biologique, Emma fait toutefois une entorse pour les pâtisseries. Étant donné la passion qu'elle leur voue, cela constitue une exception quotidienne.

— J'aurais bien repris un millefeuille… Quel dommage qu'il n'existe pas d'établissement du même standing qui serve des produits bio, déplore-t-elle pour la énième fois. Je ne comprends pas que dans une ville comme Paris, personne n'y ait songé. Tiens, en voilà une idée... Et si je restais pour en ouvrir un ? Ça coûterait combien, d'après toi ? Et si j'appelais ton père pour le lui demander ?

Juliette lève les yeux au ciel ; conciliante, Emma balaye elle-même le sujet d'un revers de main.

— Passons, j'ai autre chose à te demander. Crois-tu qu'il y a une chance que les choses s'arrangent avec Hervé ?

— Aucune, répond Juliette avec humeur. Nous sommes trop différents. Et ses amis sont débiles ; ils ne connaissent même pas la différence entre un mémoire et une thèse !

— Personne ne la connaît et tout le monde s'en fiche, moi la première !

— Tu as raison, sourit Juliette, mais j'ai bien le droit d'être de mauvaise foi. Tu t'en fiches aussi si je te dis qu'ils sont du genre à couper le nez du fromage ?

— Alors ça, c'est tout simplement inadmissible ! s'écrie Emma. Un brie ?

— Bien sûr. L'autre soir, d'un coup de couteau fatal, un invité s'est servi un superbe triangle isocèle et m'a laissé un pauvre brie amputé qui ne ressemblait plus à rien... Lui, il mérite d'être débranché !

— Le brie ?

— Non, l'ami d'Hervé. Et tous ceux qui coupent le nez du fromage !

— Une vraie brute sanguinaire ! Je ne te savais pas aussi snob !

— Merci, Granny, quel compliment ! Finalement, c'est le plus beau jour de ma vie, on va recommander du champagne.

— Je ne vois pas ce qui t'étonne. Tu n'es pas ma petite-fille pour rien, et nous savons toutes les deux que je le suis moi-même, résolument, horriblement, dit Emma avec délice.

Elle porte à son tour sa coupe à ses lèvres, mais reste songeuse un moment avant de la reposer.

— On peut boire autant de champagne que tu veux, mais à bien y réfléchir, je ne suis pas d'accord : tu n'es pas snob, et si tu réagis comme ça, c'est parce que ton Hervé, tu ne l'aimes plus. Si tu l'aimais encore, même si ses amis étaient demeurés et qu'ils se roulaient dans la vache qui rit, tu t'en ficherais éperdument. D'ailleurs, depuis que tu l'as quitté, je ne t'ai pas entendue une seule fois dire que tu le regrettais, ni même qu'il te manquait.

Juliette ne peut jamais tricher longtemps avec sa grand-mère ; son mépris affiché envers les amis de son ex ne cache en réalité qu'une profonde déception, qu'elle renonce à dissimuler.

— Sans doute. Mais j'avoue que je m'attendais à le voir ce matin. J'étais sûre qu'il viendrait, pas forcément pour recoller les morceaux, mais parce qu'il a partagé ma vie pendant tout le temps où j'écrivais ma thèse… Je ne comprends pas. Il connaissait la date par cœur, il n'a pas pu l'oublier… En plus, elle était affichée dans notre chambre, juste au-dessus du bureau…

— Peut-être qu'il n'a pas pu se libérer ?

— S'il avait voulu, il serait venu ; c'est aussi simple que ça.

Sa grand-mère s'apprête à lui répondre, mais une de ses connaissances entre dans le salon de thé et s'arrête à leur table pour la saluer. Alors qu'elle échange quelques mots avec elle, Emma tient la main de Juliette dans la sienne et la gratifie régulièrement d'un large sourire afin de lui montrer qu'elle est toujours avec elle. Juliette a toujours adoré ça, cette façon de lui donner l'impression que personne n'était plus important qu'elle, et que malgré les interruptions du monde extérieur, le fil qui les reliait n'était jamais rompu.

Lorsque l'intruse se retire enfin, Emma reprend la parole.

— Tu es déçue ma chérie, et c'est bien normal. Mais imagine qu'Hervé soit venu ; il t'aurait vue tourner de l'œil, il aurait volé à ton secours comme un héros, et après, on n'aurait plus su quoi en faire ! Mais je comprends ta peine ; une histoire qui s'achève, c'est toujours triste. Alors voilà ce qu'on va faire : puisque ta soutenance n'aura pas lieu avant la rentrée et que tu vas te retrouver dehors en même temps que moi, tu vas m'accompagner à Casteljaloux pour y passer l'été, et tu m'aideras à lancer ma maison d'hôtes. Tu veux bien ?

Les chambres d'hôtes… Juliette avait déjà oublié cette idée saugrenue ; peu importe, Emma s'en rendra bien compte par elle-même une fois qu'elle sera confrontée à la réalité – un mot dont elle a horreur, et un monde auquel elle s'efforce d'échapper le plus souvent possible.

Juliette acquiesce, à la grande joie de sa grand-mère qui règle l'addition en y ajoutant, comme à son habitude, un pourboire exorbitant. Certes, les factures s'accumulent sur son bureau, mais cela n'empêche pas Emma d'être bien consciente qu'en dépit de son infortune, elle fait toujours partie des privilégiés.

— Attention, Edgar, c'est extrêmement fragile !

Une recommandation tout à fait inutile, car l'intéressé est en train de manipuler le superbe vase Gallé avec autant de soin que s'il s'agissait d'un grand prématuré.

Depuis quarante ans, Emma emploie un maître d'hôtel qu'elle appelle son « assistant » ; il est en fait son homme à tout faire, son chauffeur, son secrétaire, mais aussi quelqu'un qu'elle considère comme un membre de sa famille. Lorsqu'il l'a rencontrée, elle était déjà veuve, et en plus de remplir ses fonctions à la perfection, il est devenu pour elle un protecteur de l'ombre, aussi loyal qu'attentionné.

Dès le premier jour, Emma lui avait proposé de l'appeler par son prénom, mais pour Edgar, il n'en était pas question. Elle revint pourtant à la charge quelques années plus tard. « Et si vous m'appeliez tout simplement Em ? C'est comme ça que m'appelaient mes amies au collège et ça me ferait plaisir ! » Tous deux venaient de prendre un fou rire après avoir parcouru le long couloir de l'appartement en traînant par les pieds un ambassadeur qui s'était écroulé dans le salon, ivre mort, afin de le laisser cuver dans la chambre d'amis. À bout de souffle, encore hilare, Edgar avait cédé. « Alors ce sera Lady M. » Emma avait d'abord protesté, arguant du fait qu'elle n'était nullement issue de la noblesse anglaise, mais cet argument avait laissé le majordome de marbre, et depuis, il s'était toujours adressé à elle en ces termes. Elle s'y était habituée, et quelques mois plus tard, en découvrant une délicieuse pâtisserie portant ce nom dans le très chic Upper East Side new-yorkais, elle s'était dit que décidément, ce surnom lui allait comme un gant.

De la même manière, Edgar n'est pas le nom de baptême du maître d'hôtel, mais le prénom qu'Emma lui a donné.

« Raymond... avait-elle murmuré d'un air songeur. Raymond... avait-elle répété, comme si elle avait peine à y croire. Écoutez, je vais devoir vous appeler plusieurs fois par jour, et avec le prénom que votre pauvre maman vous a donné, ça va être très difficile. Alors ce sera Edgar, si vous le voulez bien. »

Ce dernier s'était incliné de bonne grâce – sa réaction aurait été identique si elle avait proposé de l'appeler Ginette – mais il s'était tout de même enquis de la raison de ce choix. « Parce que vous parlez comme le maître d'hôtel des aristochats, c'est tout à fait charmant ! »

Au fil des ans, il avait d'ailleurs fini par ressembler un peu au personnage, avec sa longue silhouette un peu dégingandée, ses mouvements raides et ses cheveux devenus rares.

Edgar achève d'emballer le vase sous le regard attentif d'Emma, qui agite son éventail avec frénésie malgré une température tout à fait clémente. Sa nervosité n'est pas seulement liée au déplacement de ses objets préférés, mais surtout au fait qu'elle appréhende la discussion qu'elle doit avoir avec Edgar, et qu'elle a déjà maintes fois repoussée. Bien que ce dernier lui soit parfaitement indispensable, cela fait longtemps qu'elle n'a plus les moyens de s'offrir le luxe d'un employé à plein temps, et à l'approche du départ de Paris, lui rendre sa liberté est devenu inéluctable.

Emma rassemble son courage, fait asseoir Edgar près d'elle, et lui confie l'étendue de sa déroute financière, qui la met dans l'obligation de se séparer de lui. Le maître d'hôtel l'écoute sans ciller, attendant calmement qu'elle ait terminé pour prendre la parole à son tour.

— Je me doutais que nous aurions cette conversation, Lady M, et j'ai une proposition à vous faire. J'ai largement l'âge de me mettre à la retraite, vous allez donc arrêter de me verser un salaire, mais je vous suivrai à Casteljaloux. Je continuerai à m'occuper de vous et en échange, vous m'hébergerez gratis.

Emma refrène son envie de lui sauter au cou.

— Je ne peux pas accepter, Edgar ; cela signifie que vous continueriez à travailler pour moi et l'échange ne serait pas juste, car votre travail mérite bien plus qu'un simple logement.

— Mais Lady M, puisque je percevrai ma retraite ! s'insurge-t-il. Et… où voulez-vous que j'aille ? J'ai toujours cru que je finirais ma vie auprès de vous, vous ne pouvez pas me chasser comme ça… Et puis, je ne devrais peut-être pas vous dire ça, mais je me sens vraiment chez moi, dans la petite maison…

— Mais bien sûr que vous êtes chez vous ! s'exclame-t-elle, confuse.

Résidence d'Edgar lors de leurs séjours dans le Lot-et-Garonne, la « petite maison » désigne l'ancienne habitation du gardien de Casteljaloux ; Emma l'a fait réaménager quelques années plus tôt afin qu'elle dispose de tout le confort moderne, et c'est en effet un endroit qu'elle considère comme la propriété d'Edgar. D'ailleurs, elle l'avait oublié mais en accord avec Gabriel, elle a déjà pris des dispositions pour qu'il puisse y résider *ad vitam aeternam*, quel que soit celui d'entre eux qui quitterait cette terre en premier.

Soudain, les choses semblent limpides ; Emma non plus n'a jamais imaginé sa vie sans Edgar ; il n'a pas eu d'enfants, voit rarement le peu de famille qui lui reste, et sa dernière phrase lui rappelle que si elle compte sur lui, la réciproque est tout aussi vraie. Se séparer pour de basses considérations d'ordre matériel n'aurait tout simplement aucun sens.

Heureuse et soulagée d'apprendre que sa banqueroute ne lui fera pas perdre son fidèle compagnon, elle en profite pour lui proposer de partager son dîner, un honneur qu'il n'accepte qu'en de très rares occasions.

— Vous entrez dans le monde des retraités au moment où j'entre dans celui des travailleurs, c'est amusant, non ? Ouvrez-nous donc une bouteille de champagne et nous fêterons ça ensemble.

— Bien, Lady M.

— Et prenez ce que vous trouverez de mieux ! J'ai réalisé que j'allais devoir me séparer de ma cave… J'ai songé un instant qu'on pourrait la transporter dans le Lot-et-Garonne, mais je me doute bien que ça coûterait une fortune, alors j'ai renoncé ; elle sera pour Gabriel... Vous voyez, je deviens pragmatique !

— Certes, Lady M, mais si je peux me permettre, vous avez encore des progrès à faire dans ce domaine : il y a cinq minutes, vous vouliez vous séparer de moi alors que vous ne savez pas conduire... Comment comptiez-vous faire à Casteljaloux ?

Emma reste un instant silencieuse prenant conscience du terrible isolement auquel elle s'apprêtait à se condamner.

— J'ai frôlé la catastrophe, murmure-t-elle, éperdue de reconnaissance.

Pour une fois, Edgar ne se fait pas prier et remonte un grand cru de la cave. Formé dans la meilleure école suisse de majordomes, il a toujours considéré son métier comme un privilège, et continuer à servir Emma est pour lui la meilleure des perspectives. Bien qu'il soit nettement plus conscient qu'elle du bouleversement que représentera la transformation de la maison familiale en chambres d'hôtes, il anticipe ce changement avec joie. Du temps de sa splendeur, Emma a souvent donné de grandes réceptions qu'il orchestrait de main de maître, et quand la baisse de son train de vie l'a forcée à y mettre un terme, lui aussi en a souffert. Recevoir lui permet de donner libre cours à son goût du faste et du détail, et qu'il s'agisse de clients payants plutôt que d'invités ne fait pour lui aucune différence.

— On va bien s'amuser, Lady M ! lui promet-il en débouchant la bouteille de champagne.

Bien qu'il soit vaste, le coffre du taxi n'a pu contenir les nombreux bagages d'Emma. La voilà donc serrée contre Juliette, les deux femmes disparaissant presque sous les sacs qui s'accumulent avec elles sur la banquette arrière. Edgar ne voyage pas en avion avec elles, il a pris la route de Casteljaloux dans sa Smart, qui est également pleine à craquer. Jusqu'à présent, il la laissait à Paris et conduisait le véhicule loué par Emma pour la durée de ses séjours. Mais la demeure estivale étant sur le point de devenir leur résidence principale, la petite voiture du maître d'hôtel va officiellement devenir celle de la communauté en attendant des jours meilleurs. Une fois qu'Emma aura réglé ses dettes, peut-être achèteront-ils un véhicule plus spacieux, à moins qu'elle ne décide d'utiliser de nouveau la Bentley 1963 qui dort dans le garage de la propriété, et que le prix du plein d'essence et de l'assurance ont réduite à la fonction de bel objet encombrant depuis plusieurs années.

— Merde, sursaute Juliette, la pharmacie…

— De quoi as-tu besoin ? lui demande sa grand-mère.

— Le médecin qui est venu quand j'ai tourné de l'œil m'a prescrit des comprimés en cas de crise d'angoisse, j'aimerais bien les avoir avec moi, on ne sait jamais…

Emma la regarde, horrifiée.

— Je t'ai pourtant mise en garde de nombreuses fois…

— Je sais : *Doctors are the biggest drug dealers in the world**, récite Juliette en imitant à la perfection l'accent *british* de sa grand-mère.

— Alors on n'achète aucun comprimé chimique, addictif et toxique, mademoiselle ! Ne t'inquiète pas, on s'arrêtera à la pharmacie de l'aéroport, je te prendrai de l'Ambra Grisea, c'est contre les palpitations. Et puis du Gelsemium, qui soigne l'anxiété chronique. Un peu d'Aconitum Napellus serait une bonne idée, c'est excellent en cas de crise de panique ou de malaise…

Juliette laisse sa grand-mère énumérer les différentes options qu'offrent les médecines naturelles. Véritable encyclopédie vivante de l'homéopathie, Emma passe son temps à prescrire des remèdes à ses proches ; elle-même en use et en abuse, et sa dose quotidienne de vitamines et de potions est telle qu'il lui faut un bon quart d'heure chaque matin pour en venir à bout.

— … J'en profiterai pour racheter mes gélules aux plantes, et du Syzygium, poursuit Emma.

— Ça sert à quoi ?

— À réduire le taux de sucre dans le sang ; j'en prends avec de l'Hélonias, c'est très efficace pour lutter contre le diabète.

* Les médecins sont les plus grands dealers de drogue au monde.

— Mais tu n'es pas diabétique !

— Non, mais j'ai trop de sucre dans le sang, et ça aide à le métaboliser...

— Tu as trop de sucre dans le sang parce que tu en manges à longueur de journée ! Le remède le plus efficace serait d'abord d'en consommer un peu moins...

Emma fronce les sourcils devant une suggestion qui lui semble si radicale qu'elle se refuse à l'honorer d'une réponse.

L'arrivée à l'aéroport relève de l'épreuve de force pour Juliette, car l'énorme volume de bagages requiert deux chariots qu'elle est condamnée à pousser seule, Emma ayant pris place dans le fauteuil roulant qu'Edgar lui a réservé. La première fois qu'elle a eu recours à ce type de service, c'était suite à une fracture du petit orteil, mais bien que cette blessure remonte à plusieurs années, des séquelles non identifiées l'empêchent toujours de marcher sur de longues distances. C'est du moins ce qu'elle répète à qui veut l'entendre. Comme il n'est pas question que quiconque puisse supposer qu'elle est grabataire à cause du fauteuil roulant, elle se tient bien droite et sourit à la ronde – c'est préférable quand on double tout le monde à l'enregistrement. Traînant avec peine les deux chariots, Juliette parvient enfin à la rejoindre, et elle dépose une à une les valises sur le tapis roulant, les yeux rivés sur la balance indiquant leur poids. Chaque fois, son appréhension augmente – sa grand-mère va devoir s'acquitter d'un excédent de bagages, c'est évident. Inconsciente du problème, cette dernière attend tranquillement dans son fauteuil en bavardant avec Fabien, le jeune employé qui l'accompagnera jusqu'à l'avion, et qu'elle a discrètement chargé de remettre son passeport à l'hôtesse. Après avoir passé sa vie à cacher son âge, ce n'est pas le moment d'être trahie par une vulgaire pièce d'identité. Sans compter qu'elle pourrait elle-même avoir un choc, son année de naissance étant entourée d'un tel mystère qu'elle-même finit par en douter.

L'hôtesse pianote sur son clavier, et après réception du dernier sac, elle imprime un petit bordereau qu'elle commente d'un ton guilleret.

— Nous avons donc deux valises dont le poids excède 23 kilos, et six bagages en plus des deux qui sont autorisés ; à raison de 70 euros chacun, ça nous fait un total de 560 euros.

Juliette vient interrompre sa grand-mère, toujours en grande conversation avec Fabien, décidément si adorable qu'elle est en train de l'inviter à passer ses vacances à Casteljaloux. En apprenant le montant dont elle doit s'acquitter, elle reste un instant pétrifiée, puis fixe l'hôtesse jusqu'à ce que celle-ci comprenne qu'il est temps d'abandonner son air béat.

— C'est une plaisanterie ? demande enfin Emma avec un effet dramatique qui fait frissonner son interlocutrice. Vous réalisez que c'est plus cher que le billet lui-même !

— Je suis désolée, madame, ce sont les règles de la compagnie.

— Mais comment aurais-je pu le savoir, c'est la première fois que je voyage en classe économique… gémit-elle.

— La franchise bagages est détaillée sur notre site, et toutes les agences de voyage la connaissent…

— Alors vous m'expliquerez l'intérêt de votre classe économique ; en business, on paye plus cher, mais on ne se retrouve pas à payer des sommes folles en *overweight*...

— Justement, est-ce que ça ne vaudrait pas la peine d'échanger son billet pour une place en business ? intervient Juliette. Comme il y a davantage de bagages autorisés, ça reviendrait peut-être moins cher ?

— Je suis navrée, la classe affaires est complète... répond l'hôtesse après avoir pianoté sur son clavier. Et vu le nombre de bagages que vous avez, on serait loin du compte...

— C'est terrible d'être pauvre, se lamente Emma, mais comment font les gens ?

— Les pauvres ne voyagent pas avec huit valises, Granny ! chuchote Juliette, affreusement gênée.

— Je ne voyage pas, je déménage, je m'exile, je m'exode !

— Vous pouvez régler en carte, observe l'hôtesse, pratique.

Emma la fusille du regard et se tourne vers le préposé au fauteuil.

— Dites-moi, Fabien, maintenant que nous sommes intimes, vous pouvez sûrement nous arranger ça ?

— Ah non, vraiment désolé, moi j'y peux rien du tout...

— Quel scandale, je suis contrariée ! Et bouleversée ! annonce-t-elle à la cantonade.

Personne ne se risque à lui répondre.

Pendant de longues minutes, Emma tente encore de négocier ; elle est convaincue d'être la victime d'un horrible malentendu, voire d'un complot ourdi par des puissances ennemies, mais se trouvant dans l'impossibilité de le prouver, elle finit par baisser les armes.

— Si j'étais Élisabeth II, je suis sûre que vous ne m'auriez pas fait payer ! lance-t-elle.

Et tout en inclinant la tête à la manière d'une sainte, digne et courageuse, elle consent enfin à sortir sa carte de crédit.

— Le règlement est le règlement, murmure l'hôtesse.

Recroquevillée derrière son comptoir, celle-ci commence sérieusement à se demander si la passagère qui semble collectionner les malles Vuitton vintage et s'exprime avec un léger accent anglais ne fait pas partie de la famille royale – enfin, puisqu'elle a cédé, mieux vaut en finir. L'hôtesse effectue la transaction, puis tend les cartes d'embarquement à Emma, qui en profite pour lui glisser un billet de 20 euros dans la main.

Sa petite-fille est littéralement sidérée par son geste, mais elle n'a guère le temps de réagir car Fabien est déjà en train de pousser le fauteuil d'Emma en direction du hall d'embarquement. Forçant Juliette à leur courir après, il est parti au pas de course et ignore les cris de protestation de sa passagère.

— Moins vite, mon ami ! s'affole Emma.

— On n'a plus le temps ! crie l'intéressé.

— Mais je dois m'arrêter à la pharmacie...

— Impossible !

Fabien accélère, enchaînant halls et passerelles avec autant de célérité que s'il s'entraînait pour le cent mètres, forçant les autres passagers à se jeter sur le côté pour éviter de se faire emboutir par le fauteuil. À leur suite, Juliette est à bout de souffle ; elle distingue seulement l'impeccable casque de cheveux de sa grand-mère, qui se cramponne à son fauteuil, terrorisée à l'idée que si une collision devait se produire, elle décollerait avant même d'être montée dans l'avion. Passant devant la galerie de boutiques, Juliette hurle « Pharmacie ! » à l'intention des coureurs en tête de peloton, mais son injonction a pour seul effet de faire courir Fabien encore plus vite.

Lorsqu'ils parviennent à la porte du vol Paris-Bordeaux, c'est pour découvrir que l'embarquement des passagers n'a même pas commencé.

— Mais qu'est-ce qui vous a pris ? demande Emma qui se remet tout juste de ses émotions. Vous n'avez jamais entendu le proverbe « *Chi va piano, va sano e va lontano* » ?

— Quoi ?

— Vous avez poussé mon fauteuil comme si vous conduisiez un char dans *Ben-Hur* !

— Dans quoi ?

— Vous ne connaissez pas *Ben-Hur* ? C'est avec Charlton Heston – le pauvre chéri, je l'ai bien connu, un garçon adorable dans sa jeunesse, j'ai beaucoup moins aimé son acharnement à promouvoir le port d'armes…

Visiblement peu curieux d'en apprendre davantage sur les combats cinématographiques et politiques de Charlton Heston, Fabien débloque les repose-pieds du fauteuil et saisit les mains d'Emma.

— On y va, ma p'tite dame !

— Mais pas du tout, nous ne sommes pas pressées ! proteste Emma. Remettez donc le machin sous mes pieds et faites demi-tour, ma petite-fille et moi avons grand besoin d'aller à la pharmacie.

— Vous rigolez ou quoi ? J'ai d'autres personnes à aller chercher…

— Comment ? Mais vous devez rester avec moi jusqu'à ce que je monte dans l'avion !

— Je suis accompagnateur, pas dame de compagnie ! s'esclaffe Fabien.

Pour illustrer ses propos, son éphémère meilleur ami la fait prestement passer du fauteuil roulant à une chaise, avant de repartir vers de nouvelles aventures.

— Quel malotru ! s'exclame Emma. Jamais vu une chose pareille ! C'est un scandale, je vais dire à Edgar d'écrire à la compagnie. Mon Dieu, qu'est-ce que je ferais sans lui… Et dire que j'ai failli le licencier…

— Et dire que tu as donné ton numéro à ce jeune homme pour qu'il vienne passer ses vacances à Casteljaloux, lui rappelle Juliette.

— Oh mon Dieu, j'avais oublié…

Tandis que la jeune femme s'amuse à imaginer Fabien en train de conduire la Smart d'Edgar façon *Fast and Furious*, le visage de sa grand-mère s'assombrit.

— Pourvu qu'il ne vienne pas, il serait capable de nous découper en morceaux !

— N'importe quoi ! C'est vrai qu'il a été expéditif, mais ça ne fait pas de lui un psychopathe !

— On ne sait jamais ! Surtout, rappelle-moi d'annuler l'invitation s'il nous appelle.

— Et l'hôtesse à l'enregistrement, tu l'as aussi invitée à passer ses vacances chez nous, ou tu t'es contentée de lui donner un pourboire pour rien ?

— La pauvre, ce n'est pas elle qui a écrit le règlement, et dans l'ensemble, elle a été charmante.

— C'est la moindre des choses, elle a fait son boulot, rien de plus ! Et je te rappelle qu'elle t'a fait payer plus de cinq...

— Chuuut ! lui intime sa grand-mère. On ne s'attarde pas sur les choses négatives, ça fait vieillir prématurément.

Juliette pousse un soupir ; si seulement elles avaient pu s'arrêter à la pharmacie ! Pendant que sa grand-mère aurait commandé ses doses d'homéopathie, elle se serait acheté une bonne petite boîte de tranquillisants ultra-toxiques et en aurait illico avalé deux ou trois.

Pendant que l'avion s'élève dans le ciel, Emma se colle au hublot, regardant avec une émotion infinie la ville qui l'a adoptée alors qu'elle n'était qu'une très jeune femme, et qui, cinquante ans plus tard, l'émerveille autant qu'au premier jour. Juliette glisse sa main dans la sienne.

— Ne t'inquiète pas, Granny, on reviendra bientôt.

Emma lui serre la main, mais reste scotchée au hublot.

— Tu verras : ta maison d'hôtes va cartonner, tu vas gagner plein de sous, et quand tu retourneras à Paris, tu descendras dans un palace et tu iras dans les meilleurs restaurants !

Volte-face et sourire plein d'espoir.

— Tu crois, ma chérie ?

— C'est évident !

— Tu as raison. D'ailleurs, tu me donnes une idée : si on faisait aussi table d'hôtes ? Ça rapporterait plus...

— *Chi va piano*... lui rappelle Juliette.

— Je vais quand même en parler à Edgar, il est si heureux quand nous recevons !

Elle fait basculer son siège en arrière, pousse un petit cri en découvrant qu'il s'incline à peine – « Tellement inconfortable, cette classe économique ! » – puis ferme les yeux pour chasser la réalité au plus vite et rêver tout à son aise.

De son côté, Juliette réalise avec effroi à quelle folie elle a involontairement invité sa grand-mère ; à son tour, elle bascule son siège, ferme les yeux, et prie pour qu'il y ait une pharmacie à l'aéroport de Bordeaux.

Peu de temps avant l'atterrissage, l'hôtesse vient prévenir Emma que des travaux sont en cours dans le terminal où ils vont se poser. L'accès par la passerelle est fermé et les passagers devront parcourir à pied les quelques dizaines de mètres les séparant de la zone de livraison de bagages ; un fauteuil roulant l'attendra donc au pied de l'avion. Cette délicate attention réconcilie aussitôt Emma avec la compagnie aérienne, et quand Juliette la voit fouiller gaiement dans son sac, elle prévient un autre pourboire superflu en retenant la main dispendieuse de sa grand-mère.

Un petit comité d'accueil est bien posté en bas de l'escalier ; les moteurs continuent de tourner et tous les passagers ont les cheveux ébouriffés, à l'exception d'Emma qui reste impeccable grâce à la tonne de laque qui fixe sa mise en plis. Bien qu'elle soit habituée à sa coiffure immuable,

Juliette ne peut s'empêcher de sortir son téléphone pour photographier sa grand-mère, trônant dans son fauteuil sans une mèche qui bouge, alors qu'autour d'elle, même les hommes dégarnis sont totalement hirsutes.

— L'avantage, c'est que si tu décides de faire un tour en moto, tu n'as pas besoin de casque, tu as ce qu'il faut avec tes cheveux, observe-t-elle.

Feignant d'être vexée, Emma lève les yeux au ciel, mais en réalité, venant de sa petite-fille, rien ne l'offense jamais.

Parti la veille, Edgar n'a pas eu trop d'une journée pour effectuer en Smart les quelque 680 kilomètres séparant Paris de Houeillès, et ouvrir la maison, fermée depuis plusieurs mois.

La belle bâtisse bourgeoise a été construite en pierres régionales vers 1850 ; elle est entourée d'un jardin où se dressent de magnifiques cèdres du Liban centenaires qui font la fierté de leur propriétaire. Sur la façade sont alignées de nombreuses fenêtres encadrées de volets bleu clair, qui laissent deviner les proportions équilibrées des pièces. D'une surface d'environ 500 mètres carrés, la maison s'ouvre sur une vaste entrée traversante permettant d'apercevoir le parc arboré qui s'étend au loin. Une belle hauteur sous plafond accentue l'impression de volume.

Apercevant au loin le taxi en provenance de l'aéroport, Edgar vient attendre ses passagères à l'entrée de la propriété, et tandis que la voiture s'engage sur la longue allée de tilleuls qui débouche sur les grilles en fer forgé, Emma baisse sa vitre et se penche à l'extérieur, contemplant sa maison comme si elle la voyait pour la première fois.

Ce n'est pas seulement pour faire respirer la maison qu'Edgar a ouvert en grand portes et fenêtres, mais aussi pour permettre à Emma de redécouvrir en quelques secondes les plus belles pièces de sa demeure, dont la décoration intérieure en fait un lieu semblable à nul autre dans tout le département.

Après son mariage au début des années 60, Emma avait fait sa première sortie au bras de son jeune époux à l'occasion d'une réception chez le comte de Polignac, rue Barbet-de-Jouy. Ancienne demeure de Jeanne Lanvin, l'hôtel particulier était un pur joyau Arts déco, qui avait eu sur la jeune Britannique un effet considérable. Elle s'était inspirée de cet endroit unique pour son appartement parisien et pour revisiter entièrement la décoration vieillotte de la maison de campagne dont son mari avait hérité.

Elle avait commencé par faire remplacer les tomettes en terre cuite par un carrelage en grès blanc avec des cabochons noirs dans toutes les salles de réception, avant de choisir avec passion chacun des meubles et objets qui allaient constituer un intérieur appelé à rester aussi inaltérable que sa coiffure. Ainsi, au fil des mois, la maison avait pris l'aspect d'un véritable petit musée tranchant étonnamment avec le décor naturel extérieur.

Symétrie, lignes épurées et formes géométriques définissaient chaque pièce, et le style Arts déco y était si admirablement représenté que passé la première surprise, tous les visiteurs qui découvraient la maison étaient séduits.

Le téléphone était le seul objet contemporain visible, et hormis dans la cuisine, les télévisions et autres outils modernes étaient tous dissimulés au sein de meubles griffés.

Comme l'a espéré Edgar, les fenêtres ouvertes partout permettent à Emma de se réapproprier les lieux en quelques secondes, et la nostalgie qu'elle éprouvait après avoir quitté Paris se dissipe au fil des mètres parcourus. Dès que le taxi a franchi les grilles, elle demande au chauffeur de ralentir, s'éjecte de la voiture et parcourt les derniers mètres la séparant de la maison avec la légèreté d'une petite fille, son intense douleur au petit orteil ayant mystérieusement disparu.

Le hall d'entrée dessert deux ailes. Celle de droite est constituée des pièces de réception qu'Emma traverse rapidement : d'abord le salon et son imposante cheminée, puis la salle à manger et sa table en palissandre au large pied en forme de lyre. Elle dessert la cuisine, qui donne sur l'arrière de la maison où une terrasse a été aménagée de façon à y prendre les repas en été.

La cuisine dispose aussi d'une porte débouchant sur l'entrée, qu'Emma traverse afin de se rendre dans l'aile gauche, qu'elle occupe en intégralité. On entre d'abord dans un bureau transformé en boudoir, où trône une coiffeuse en érable d'une rare élégance ; un grand miroir rond posé au centre en est l'élément principal, que seule une paire de tiroirs rectangulaires encadre avec sobriété. Sachant que dans quelques heures, la table étroite sera entièrement recouverte par ses produits de beauté, Emma prend le temps de l'admirer et passe doucement sa main sur le bois vernis. Face à la coiffeuse se trouve un fauteuil dans le même bois clair aux larges accoudoirs arrondis et recouvert de velours grège ; il est assorti d'un canapé qui lui tend les bras, mais elle résiste à cette invitation et entre dans sa chambre, uniformément décorée dans un ton « bleu Lanvin », toujours en l'honneur de la couturière.

Le même tissu de soie tirant sur le lavande et brodé de motifs dorés a été utilisé pour les rideaux, le couvre-lit, le canapé et ses coussins, rendant l'ensemble un peu étouffant. Mais pour la dame des lieux, cette pièce est un doux cocon, à l'image de son vaste lit, encadré de larges bordures en noyer. En découvrant ce meuble, Juliette ne s'est pas privée de déclarer que pour elle, il évoquait surtout un cercueil de luxe ; une observation qui n'a en rien altéré la passion de sa grand-mère pour ce lit où elle passe le plus clair de son temps, car Emma est une grande dormeuse. Elle le confesse bien volontiers, son besoin de sommeil quotidien tourne autour de quatorze heures. « Mais je peux les répartir n'importe quand entre le jour et la nuit ! » s'empresse-t-elle d'ajouter, justifiant ainsi les longues siestes qu'elle s'octroie à tout moment de la journée.

Grâce à Edgar, qui a passé une partie de la matinée à préparer sa chambre, tout est conforme à ses goûts et à ses habitudes. Après avoir contemplé son domaine avec ravissement, Emma se dirige vers une porte presque invisible, car tapissée du même tissu bleu que le mobilier, et qui mène au dressing et à la salle de bains.

Quelques coups frappés discrètement lui signalent alors la présence du maître d'hôtel, qu'elle accueille avec chaleur.

— Oh Edgar, tout est parfait... Je me demande comment j'aurais fait sans vous...

Bien trop pudique pour répondre à un compliment, son fidèle employé baisse les yeux.

— J'ai pensé que Lady M aimerait prendre un petit goûter ; le thé est prêt.

Un appel auquel elle ne saurait résister, et mettant un terme à la visite de ce qu'elle nomme avec emphase « ses appartements », elle le suit dans le salon où l'attend Juliette, nonchalamment allongée sur un canapé.

— Ça va, Granny ? Contente de retrouver ta maison ?

— Oui, bien sûr... Mais ça ne va tout de même pas être facile d'oublier Par...

Elle s'interrompt net en découvrant la tourtière aux pommes qu'Edgar est allé chercher pour elle dans sa pâtisserie locale préférée.

— ... Plus que contente, je suis aux anges !

Son bienfaiteur pose alors sur la table le plateau assorti au sublime service à thé Arts déco dont Emma fait un usage quotidien. Alors qu'elle redécouvre avec bonheur les pièces en argent massif et aux attaches en ivoire, son optimisme se renforce.

— On va faire de grandes choses ici, Juliette a raison !

Le maître d'hôtel sert cérémonieusement les dames, puis prend le chemin de la sortie.

— Où allez-vous ? s'étonne la Britannique.

— J'ai encore beaucoup à faire...

— Edgar, vous avez oublié ? Vous ne travaillez plus pour moi ! Vous avez été remarquable en préparant la maison en si peu de temps mais maintenant, puisque nous sommes ici en tant qu'amis, vous allez vous asseoir et prendre un thé et une part de gâteau avec nous !

— Ce n'est pas possible, bafouille-t-il, affreusement gêné. Je… Enfin, ce ne serait pas correct…

— Mais si ! Il faut que tu apprennes à te détendre, s'amuse Juliette.

Le maître d'hôtel l'a vue naître ; il a porté son couffin et l'a regardée grandir. C'est aussi lui qui s'est chargé de lui lire son histoire du soir lorsqu'elle restait dormir chez sa grand-mère et que celle-ci sortait dîner, et tout comme elle, la jeune femme a toujours considéré qu'il faisait partie de sa famille.

Juliette se lève et lui tend sa propre assiette à dessert.

— Je te préviens, c'est moi qui vais m'en chercher une autre ! dit-elle d'un ton faussement menaçant. En attendant, tu t'assieds !

— Oui, poursuit Emma, si vous voulez bien vous donner la peine de vous installer, il y a plein de choses dont nous devons parler…

Une fois qu'il a consenti à prendre place dans un fauteuil, Emma se lève et va ouvrir le buffet en noyer qui renferme une chaîne hi-fi. Elle choisit un CD qu'elle dispose avec d'infinies précautions, d'abord parce qu'elle ne s'est jamais habituée à manipuler cet outil, ensuite parce qu'on ne sait jamais. Le terme « compact » l'effraye. Beaucoup de fils électriques, compactés comme le revendique le fabricant, et peut-être à outrance. C'est typiquement le genre d'objet qui pourrait vous exploser au visage sans crier gare.

Alors que retentissent les premières notes du *Concerto en fa* de Gershwin, son visage s'éclaire et elle revient s'asseoir.

— Voilà, on peut commencer !

Elle prend toutefois le temps d'écouter quelques mesures, hochant la tête en rythme avec délice, avant de poursuivre.

— Comme je vous le faisais remarquer, cette histoire de patronne et d'employé, c'est du passé ! Désormais, nous sommes des *roommates*, ou plutôt des « colocs » comme dirait Juliette ; nous prendrons donc nos repas tous ensemble.

— Je préfère manger après le service, Lady M.

— Justement, il n'est plus question que vous nous serviez ! Bon, vous continuerez à faire la cuisine puisque j'en suis bien incapable, mais nous mangerons à la même table.

— Ce n'est pas possible, répond-il simplement. Certes, nous sommes amis, mais que voulez-vous que je vous dise, je suis un homme d'habitudes, cela fait quarante ans que je vous sers et je ne vois pas pourquoi ça changerait ; je suis heureux comme ça.

Emma pousse un soupir, se débarrasse de ses sandales d'un geste élégant et s'allonge sur le canapé.

— Vous abusez de ma faiblesse parce que je suis ivre.

— Ivre ?

— Oui, à cause de l'armagnac dans le gâteau...

— C'est une blague ? s'esclaffe Juliette.

— Je t'assure, je ne sais pas ce que j'ai... Peut-être devrais-je faire une petite sieste... Mais j'aimerais poursuivre notre conversation, Edgar...

Le maître d'hôtel réprime un sourire.

— Reposez-vous, nous reparlerons de mon statut une autre fois. Ce que je peux vous dire, c'est que vous serez toujours Lady M, c'est ainsi, conclut-il en guise d'excuse. Et devant les clients, il n'est pas question qu'il en soit autrement. D'ailleurs, ce n'est pas plus mal, ça donnera du standing à votre maison et la présence d'un employé à plein temps permettra peut-être à votre établissement de bénéficier d'un classement dans une catégorie supérieure... Je vais me renseigner auprès de la mairie lorsque j'irai faire la déclaration de location.

— La quoi ?

— C'est obligatoire, Lady M. J'ai fait quelques recherches sur Internet et il y a un certain nombre de démarches administratives à accomplir. Mais ne vous inquiétez pas, je me suis procuré le *Guide technique des chambres d'hôtes*, toutes les règles à respecter figurent dedans.

Emma le dévisage, stupéfaite.

— Parce qu'il y a des règles ?

Tandis qu'elle gravit les marches la menant à l'étage, Juliette prend tout son temps. Retrouver le décor de son enfance est toujours un moment privilégié ; c'est un espace clair et doux, et aussi la seule pièce de la maison qui rappelle qu'on est en peine campagne : le parquet est d'origine, les meubles en simple bois lasuré de blanc. Les quelques objets sont tous dans les mêmes teintes, du rose poudré et du beige, choisies avec soin par celle qui était encore une jeune fille il y a peu.

Cela fait des années que sa chambre n'a quasiment pas changé et Juliette tient à ce qu'elle reste ainsi : un endroit rassurant où rien ne peut lui arriver. Durant son enfance, sa mère l'emmenait chaque été en vacances à l'autre bout du monde, selon la mission que lui avait confiée l'association humanitaire à laquelle elle consacrait sa vie. Il ne s'agissait jamais d'un pays en guerre, bien sûr, mais parfois d'une ville qui se reconstruisait après un long conflit, et toujours d'une région où la misère faisait rage et où les enfants manquaient de tout, ce qui, pour Héloïse Dubreuil, constituait un pendant nécessaire à l'éducation privilégiée dont sa fille bénéficiait. « Tu es tellement gâtée, ma chérie, il est essentiel que tu voies comment ça se passe pour ceux qui n'ont pas la chance de grandir dans les mêmes conditions que toi. » Juliette avait beaucoup appris auprès de sa mère, elle mesurait sa chance d'être « bien née » et avait conservé de ses expériences à ses côtés une profonde empathie pour les défavorisés, ainsi qu'une grande faculté d'adaptation, car lorsqu'elle quittait un camp de réfugiés, c'était pour terminer ses vacances à Casteljaloux, où sa grand-mère vivait en véritable châtelaine. Et malgré le bonheur qu'elle éprouvait à être auprès de sa mère, elle était soulagée de retrouver sa chambre aux couleurs pastel ; un endroit sécurisant entre tous, à l'image de cette demeure où rien ne changeait jamais.

Il arrivait à Emma de se comporter en diva, faisant joyeusement des esclandres dans les restaurants dont la qualité ou le service laissaient à désirer, ce qui plongeait sa petite-fille dans un embarras épouvantable, mais jamais cette dernière n'avait songé à lui reprocher son attitude, car au quotidien, c'était elle la plus présente. Les horaires de travail et les déplacements professionnels de Gabriel l'obligeaient souvent à confier Juliette à sa mère, chez qui elle avait sa chambre et ses habitudes. Elle était heureuse sous son toit, notamment parce que sa grand-mère conjuguait la fiabilité de son père avec l'exubérance de sa mère, ce qui en faisait une sorte d'être idéal. Comme chez Gabriel, elle était réveillée à l'heure, des habits pliés sur une chaise et un copieux petit déjeuner l'attendaient ; il n'y avait ni bonjour ni bonne nuit qui ne soient accompagnés d'effusions et pas le moindre risque qu'elle manque de quoi que ce soit. Et comme avec Héloïse, rien n'était jamais écrit d'avance ; Emma était assez spontanée pour qu'une simple rencontre ou une envie soudaine transforme une sortie banale en folle péripétie, lui donnant un goût d'imprévu qui ravissait la petite fille. De plus, les nombreuses réceptions que donnait sa grand-mère représentaient pour Juliette une fenêtre ouverte sur le monde, et elle trouvait dans la diversité des visiteurs venus des cinq continents une justification à l'éternelle quête d'ailleurs de sa mère, à qui elle pardonnait plus volontiers ses absences au profit d'un monde qui la fascinait, malgré la misère qu'elle avait découverte à ses côtés.

L'appartement parisien qu'occupait Emma est le seul que Juliette lui ait connu. Pour elle aussi le terme du bail marque la fin d'une ère, la perte d'un toit qui a toujours été le sien, et c'est avec une émotion particulière qu'elle pénètre dans la chambre qu'elle occupe à Casteljaloux, chérissant plus que jamais cet espace immuable. La grande armoire normande est pleine d'habits qu'elle y laisse en permanence et qu'elle redécouvre avec la gourmandise d'un enfant retrouvant des jouets oubliés. Le cadre dans lequel elle a placé la seule photo de ses parents ensemble est bien en place sur sa table de nuit ; tous deux lui sourient, éternellement jeunes et amoureux.

Une fois qu'elle a pris ses marques, elle traverse le palier pour ouvrir en grand la porte de la chambre de Gabriel, qui fait face à la sienne. Encore une habitude qui remonte à l'enfance, sa façon silencieuse de lui dire qu'elle attendait son retour, car son père passait rarement plus d'un week-end prolongé à Casteljaloux, redoutant en permanence qu'un krach boursier se produise, ne serait-ce que pour sanctionner les quelques jours de vacances qu'il s'était autorisé.

Contrairement à sa fille, Gabriel n'a jamais manifesté le désir de conserver sa chambre d'enfant en l'état et a laissé à sa mère tout le loisir de la redécorer à son goût, à mesure qu'il avançait en âge. Le marron et le beige sont les deux couleurs qu'elle a choisies pour donner à la chambre de son fils une élégance bien masculine, et en l'observant sous un jour nouveau, Juliette remarque pour la première fois l'absence d'objets personnels. Certes, l'arrivée de son père emplit la pièce d'un joyeux désordre qui la rend bien vivante, mais il n'a jamais songé à y laisser quoi que ce soit, et au moment du départ, il prend bien soin de ne rien laisser traîner, inspectant la chambre et la salle de bains avec la même minutie que lorsqu'il s'apprête à quitter un hôtel.

Juliette dirige ses pas de l'autre côté de la rampe d'escalier, où se trouvent les trois dernières chambres, rénovées quelques années plus tôt. La propriétaire des lieux semblant véritablement tenir à son idée de transformer la demeure familiale en résidence hôtelière, Juliette vient examiner d'un œil nouveau les chambres qui ont jusqu'à présent accueilli les nombreux amis de la famille, et où viendront peut-être bientôt se succéder d'illustres inconnus.

La première est celle dont la décoration est la plus contemporaine ; un mur a été peint dans une teinte vert mousse en harmonie avec celle des rideaux et des coussins ; le parquet, les bibelots, et la tête de lit sont du même bois brut que les poutres apparentes, ce qui lui donne un côté nature très en vogue.

Juliette entre dans la seconde chambre ; tout y est prune et gris, une association chaleureuse et raffinée qu'Emma a découverte dans son magazine de décoration favori. Pourvue de deux grandes fenêtres, c'est la plus lumineuse de toutes, et un large bureau disposé de manière à voir le parc permet d'y travailler dans un cadre idyllique, particulièrement en cette fin avril où arbres et fleurs sont en pleine éclosion.

Juliette pousse la porte de la dernière chambre d'amis. Ici, selon ses propres termes, Emma s'est souvenue qu'elle était anglaise, et s'en est donné à cœur joie. Le lit en cuivre typiquement victorien est recouvert d'un tissu imprimé représentant de délicats bouquets de roses ; motif qui se répète partout dans la pièce, dans le plus pur style Laura Ashley, pour lequel la propriétaire des lieux éprouve une nostalgie certaine. « Je viendrai y lire », a-t-elle décidé lorsque le tapissier local a livré le superbe canapé revêtu du même tissu fleuri. En fait Emma monte rarement à l'étage – toujours ce satané petit orteil – et la chambre au style *so british* n'a jamais eu l'honneur d'être le théâtre de ses lectures.

Les salles de bains, dont les coloris et accessoires rappellent le thème de la chambre qu'elles desservent, sont également impeccables, et pour la première fois, Juliette commence à envisager d'un œil favorable le projet de sa grand-mère. D'autant plus que recevoir des amis est un plaisir onéreux, en particulier pour Emma qui veut toujours leur offrir ce qu'il y a de meilleur. Ouvrir les portes de la propriété à des hôtes payants est peut-être la meilleure idée qu'ait eu sa grand-mère depuis des lustres, et avec le concours d'Edgar, tout devrait bien se passer.

Edgar, justement ; c'est avec lui qu'il faut parler de tout cela, elle ouvre la fenêtre et se penche en direction de la « petite maison » ; la porte en est grande ouverte, témoignant de sa présence, et elle se dépêche d'aller le retrouver. En passant devant la chambre de son père, Juliette ne peut s'empêcher de constater que, dans la mesure où elle est aussi impersonnelle que les autres, elle pourrait volontiers se prêter à la location ; mais un terrible sentiment de culpabilité vient aussitôt la punir de cette réflexion et elle s'empresse de la chasser de son esprit.

Deux heures plus tard, Juliette est attablée devant son ordinateur portable dans la salle à manger, en pleine étude du marché des chambres d'hôtes de la région. En face, Edgar a déployé sur la table les brochures et dépliants qu'il est allé chercher au syndicat d'initiative local. C'est alors qu'Emma fait son apparition, tout juste réveillée de sa sieste. Ménageant son entrée, elle a traversé le salon en silence avant de prendre la pose, élégamment appuyée contre l'embrasure des doubles portes ouvertes du salon. Elle est vêtue d'une longue robe en coton plissé qu'elle nomme sa « robe d'intérieur » ; elle en possède de toutes les couleurs de l'arc-en-ciel et en enfile une dès qu'elle rentre chez elle. Un choix qui ne relève pas seulement du confort, mais aussi de la coquetterie, Emma ayant trouvé dans cette coupe ample et dans les multiples plis du tissu le meilleur moyen de camoufler ses courbes généreuses.

— Que faites-vous, les chéris ?

— On travaille, Granny. Il y a des tas de choses à décider, à organiser...

— Comme quoi ?

— On ne peut pas s'improviser maison d'hôtes ; en premier lieu, il faut s'assurer que nous remplissons bien les conditions requises, et que les normes de sécurité sont bien respectées, intervient Edgar. Puis décider si vous voulez vous affilier à un label, ce qui semble préférable. Il faut aussi posséder la licence 1, elle est obligatoire pour servir des boissons, notamment au petit déjeuner...

— Et puis il faudra se faire connaître, renchérit Juliette, créer un site Internet au nom que tu donneras à ton établissement ; y mettre des photos des chambres...

Emma pousse un petit cri.

— Des photos de chez moi ?

— Évidemment ! Les gens ont besoin de savoir où ils mettent les pieds, ne serait-ce que pour comparer avec les autres offres. D'ailleurs, il va falloir fixer le prix de la nuitée...

— Est-on vraiment obligé de décider de cela maintenant ?

— Si Lady M a l'intention d'ouvrir cet été, la réponse est oui.

Alors qu'Emma se demande si elle ne devrait pas aller se recoucher, Juliette commence à lire à haute voix un passage du site qu'elle était en train d'explorer :

— « Ne vous décidez pas sur un coup de tête. Si l'idée de transformer une demeure familiale pour en faire un hébergement touristique peut sembler séduisante, elle mérite réflexion. Aurez-vous la patience de satisfaire les désirs, voire les caprices, de vos clients ? Saurez-vous préserver votre intimité tout en restant disponible ? Surmonter le coup de feu de la haute saison avec les accueils, la cuisine, les courses, le rangement, les lessives, le repassage, etc. ? N'hésitez pas à rencontrer d'autres propriétaires pour confronter votre motivation à la réalité. »

Encore ce mot obscène, « réalité », qui laisse Emma songeuse. Constatant son désarroi, Edgar vient à son secours.

— Je propose que l'on procède par étapes...

— C'est ça, l'interrompt-elle avec précipitation, vous décidez de tout et moi, je vais réfléchir au petit déjeuner...

Établir un menu, quel que soit le type de repas, est une activité qui enchante Emma, et pour y songer à loisir, elle retourne dans le salon afin de s'allonger sur un canapé.

Juliette adresse un regard entendu à Edgar ; sa grand-mère vient de s'exprimer sur un ton qu'elle nomme la « Plaza attitude », et qui laisse présager un certain retour à la folie des grandeurs qui la caractérise. Ils la suivent et viennent s'installer non loin d'elle, ordinateur et brochures en main.

— Eh bien, dit Emma en se frottant voluptueusement les pieds l'un contre l'autre ; nous offrirons des œufs brouillés, du pain...

— Il en faut deux sortes, minimum, lit Juliette.

— Ça va de soi ! Et puis aussi des viennoiseries, de la brioche, des crêpes, une corbeille de fruits... Du miel et plusieurs sortes de confitures, on va les commander chez Hediard, elles sont délicieuses !

— Ça va pas, non ? s'écrie Juliette. Elles seront très chères ; de plus, elles doivent être faites maison !

— C'est fait maison : la maison Hediard !

Mouvement de panique dans les yeux d'Edgar, tandis qu'Emma se contente de quelques battements de ses longs cils noirs.

— Tu délires, Granny ! On les fera nous-mêmes quand les producteurs braderont leurs cageots de fruits à la pleine saison ; j'en ai déjà fait, c'est facile. Et en attendant, on achètera des confitures artisanales au marché.

— Si tu veux. Reprenons... Et si on mettait un peu de fromage et de charcuterie ? Les Anglo-Saxons adorent ça... Il faudrait des yaourts et du muesli bio pour ceux qui mangent sainement...

— ... Des céréales pour les enfants, ajoute Juliette qui prend des notes.

— Les enfants... Quels enfants ?

— Ceux de nos futurs hôtes.

— Ils ont des enfants ?

— Ça peut arriver, oui !

— Et on les mettra où ?

— Je ne sais pas, il faut y penser ; la plupart des maisons d'hôtes ont une chambre familiale, ce serait dommage de se couper de ce marché...

— Si je peux me permettre, intervient Edgar, le canapé de la chambre fleurie est un canapé-lit.

— Eh bien voilà, ça fait une possibilité. Et c'est une bonne nouvelle, parce que le prix de la nuitée sera majoré s'il y a des enfants.

Emma jette un coup d'œil circulaire à la pièce. Son regard s'attarde sur la bibliothèque Majorelle qu'elle a obtenue au terme d'une bagarre acharnée lors d'une vente aux enchères et elle visualise aussitôt une équipe de foot miniature traversant son salon, et explosant la vitrine du meuble d'un shoot spectaculaire.

Du calme. Elle sait qu'il lui faudra faire des concessions, et quelques mots devraient suffire à faire comprendre aux enfants qu'ils ne pourront pas jouer dans la maison.

— Va pour les enfants. Passons aux boissons : café, chocolat, plusieurs sortes de thé... L'idéal serait de le commander chez Fortnum & Mason, j'en achète toujours quand je vais à Londres...

— Tu recommences ! Tu sais à combien ça va te revenir ?

— Alors du Breakfast Tea de chez Taylors of Harrogate, Edgar en trouvait à la Grande Épicerie.

— Pour votre gouverne, Lady M, étant donné les petits problèmes budgétaires auxquels il a fallu faire face, ça faisait longtemps que je n'y allais plus.

— Mais d'où venait mon thé ?

— Du Monoprix, Lady M, ils font des choses très bien. Et je suis certain qu'on trouvera l'équivalent dans les grandes surfaces de la région.

— Si vous le dites, consent-elle, vexée de ne pas avoir décelé de différence entre un thé de luxe et celui d'un supermarché.

— Il faudra aussi qu'on achète plusieurs marques de jus d'orange, pour pouvoir comparer leur qualité, observe Juliette.

— Mais enfin, ma chérie, le jus d'orange, ça ne s'achète pas, ça se presse ! Et ne me parle pas d'argent !

— Il va falloir en parler, pourtant, parce que telle que tu es partie, tu vas en avoir pour une fortune. Ça va être difficile de dégager un bénéfice si tu mets le prix de la nuitée dans le petit déj. Sans compter le travail que ça représente ; les crêpes par exemple, c'est du boulot, et c'est superflu !

— D'accord, alors quelqu'un fera des cakes…

— Quand tu dis « quelqu'un », tu penses à qui ? ironise Juliette.

Sa grand-mère baisse les yeux, gênée ; naturellement, elle n'a jamais fait un cake de sa vie, et elle commence à réaliser qu'une fois sa maison d'hôtes ouverte, l'existence d'Edgar sera davantage celle d'un dirigeant de PME que celle d'un retraité. Mais cette perspective semble convenir à ce dernier, qui la rassure de bonne grâce.

— C'est vrai qu'un cake, c'est vite fait…

— Mais tu devras t'occuper de plein d'autres choses ! lui rappelle Juliette. Déjà, aller à la boulangerie tous les matins, ça prend du temps ! Sauf si on achète des pains qu'on peut faire toaster et qu'on se fait livrer des croissants congelés ; d'après ce que j'ai lu, il y a pas mal de proprios qui font ça…

Emma se redresse, scandalisée.

— J'espère que tu plaisantes !

— Pas du tout ; regarde, je suis sur un forum qui donne tous les détails. Ça revient à 25 cents la pièce ; et même Lenôtre en fabrique ! Ils sont un peu plus chers que les autres, mais nos confrères qui les commandent disent tous que la qualité est extra…

— On est en France ! proteste Emma. Le pays de la gastronomie et du bon goût, je refuse de croire que des personnes civilisées achètent des croissants congelés !

— Eh bien apparemment, il y a plein d'hôtels réputés qui font ça… poursuit Juliette, absorbée par sa lecture.

— Pas le Plaza ! gémit Emma.

Elle se penche sur l'écran et lit à haute voix :

— « Je ne veux plus d'animaux... » On peut refuser les animaux ?

— Bien sûr, répond Edgar. Et en général, les établissements qui les acceptent font payer un supplément.

— Quel manque de savoir-vivre !

Elle prend l'ordinateur des mains de sa petite-fille et poursuit sa lecture :

— « Moi je ne veux plus de fumeurs. » Entièrement d'accord. Les fumeurs, c'est non, même dehors ; ils seraient capables d'écraser leurs mégots dans mon laurier-rose.

— Ça va être difficile d'interdire aux clients de fumer dehors... objecte sa petite-fille.

Mais Emma ne l'écoute pas, elle écarquille les yeux en continuant à lire les échanges du forum :

— « Moi je ne veux plus de personnes avec des cheveux ! Cf nettoyage des douches et bondes de lavabo. » Qu'est-ce que ça signifie ?

— Je pense que c'est une façon de pester contre les personnes dont les cheveux longs bouchent les sanitaires, explique Edgar, toujours diplomate.

À l'évocation de ce type de désagréments, Emma pâlit. Là encore, « quelqu'un » va devoir y faire face et ce ne sera pas elle. Culpabilisant à l'idée d'imposer ce genre de corvées à Edgar, terrifiée par la perspective d'être envahie par des familles nombreuses, fumeuses et chevelues qui vont mettre à sac sa maison, elle sent le découragement la gagner.

— Je crois que j'ai eu une mauvaise idée ; il y a un grand nombre de points auxquels je n'avais pas pensé, et à la réflexion...

— Tout va bien se passer, Lady M ; il suffit de faire les choses avec méthode.

— Et rationalité ! souligne Juliette.

À ces mots, une immense vague de fatigue s'abat sur Emma.

— Je vais me recoucher.

Une fois la composition du petit déjeuner définie, Emma a connu un moment de grâce, durant lequel elle s'est dit que la transformation de sa maison en chambres d'hôtes était vraiment *a piece of cake*. Malheureusement pour elle, sitôt ce point réglé, c'est toute une série de questions que Juliette et Edgar ont dû aborder avec elle, avec d'autant plus de délicatesse que certains d'entre eux ont fait l'objet d'un débat houleux.

Le premier a porté sur l'affichage du prix de la nuitée et des prestations à l'extérieur de la propriété et dans chaque chambre, ce que la distinguée vieille dame a commencé par refuser en bloc.

— Nous ne sommes pas un hôtel, que je sache !

— D'une certaine manière, si, Lady M, et afficher les tarifs est une obligation.

Un argument nullement décisif pour cette éternelle rebelle, qui a toujours proclamé que les lois étaient faites pour être transgressées, joignant le geste à la parole dès que ça l'arrangeait. Ainsi, alors que Juliette était lycéenne et l'avait sollicitée à l'occasion d'un exposé sur Londres qu'elle devait faire avec une amie, sa grand-mère avait pris l'initiative de les emmener trois jours dans la capitale britannique, avant de justifier leur absence en classe par une lettre dans laquelle elle affirmait que ce bref séjour à l'étranger leur serait plus profitable que toute une année de cours. Ce geste flamboyant avait fait grand bruit et la forte tête de la classe lui avait attribué le titre de « personne la plus punk du monde », ce qui avait élevé la timide Juliette au rang des filles les plus populaires du lycée, équivalent du prix Nobel pour sa génération. Quinze ans plus tard, l'indocilité de sa grand-mère est toujours aussi redoutable, et Edgar a dû déployer des trésors de patience pour convaincre Emma de le laisser accrocher les petits panneaux informant la clientèle des prix pratiqués.

Autre sujet de discorde : la nécessité d'installer un espace de travail pour gérer les réservations, tenir la comptabilité et imprimer les factures. Des termes barbares, de même que le concept de « coin bureau », forcément de nature à défigurer son magnifique salon.

— Alors faisons ça dans ton boudoir, Granny, puisque personne n'y entre.

Sa suggestion a terrassé sa grand-mère. Si ce n'était qu'une table, passe encore, mais la simple perspective de se retrouver chaque jour nez à nez avec un ordinateur et une imprimante était au-dessus de ses forces. Des outils tellement dénués de charme, et d'une utilité très relative aux yeux de cette réfractaire à toute forme de technologie, voire de progrès en général.

La parade est venue d'Edgar, qui a proposé d'installer le nécessaire dans la chambre de Gabriel. Sans aucun doute une excellente idée, puisqu'il n'y séjourne que brièvement, et que loin de le déranger, la présence d'outils informatiques faisant de sa chambre un confortable espace de travail ne pourra que le ravir.

Il a fallu ensuite expliquer à Emma que, dans la mesure où elle ne connaissait pas ses futurs hôtes et qu'ils risquaient de se succéder à un rythme soutenu, il valait mieux mettre à l'abri l'héritage familial, et notamment le linge brodé aux initiales de feu ses beaux-parents, dans lequel avaient déjà dormi trois générations de Dubreuil. Edgar s'est donc rendu à Bordeaux où il a acheté des draps en coton ordinaire, en lieu et place des parures en lin que préconisait la maîtresse des lieux, ce qui a achevé de la convaincre qu'elle s'apprêtait à accueillir des hordes de Huns.

Tout cela a fini par lui occasionner une légère crise d'angoisse, et elle a passé trois jours à dormir, ne se réveillant que pour se sustenter et se gaver de médicaments homéopathiques. D'une voix mourante, elle a fini par réquisitionner Adèle – Abdel de son vrai prénom, l'ostéopathe qui lui fait tant de bien que si elle le pouvait, elle l'emploierait à plein temps. Après une longue séance qui l'a laissée dans un état végétatif, elle s'est réveillée le lendemain, plus déterminée et optimiste que jamais.

Au terme de longues journées de travail, « Le Mas de Casteljaloux » possède enfin un site Internet clair et riche en photos attrayantes, et la maison est prête à accueillir ses premiers visiteurs. Il y a assez de victuailles pour offrir un succulent petit déjeuner à un régiment affamé, et la licence 1 a bien été obtenue auprès de la recette des douanes. Les lits sont faits, et les salles de bains remplies d'échantillons accumulés par Emma dans les palaces qu'elle a fréquentés tout au long de sa vie, ce qui revient à dire qu'il y en a assez pour fournir les trois chambres, y compris si elles devaient être occupées en permanence durant les dix ans à venir.

Dès que le téléphone sonne, toute la maisonnée sursaute. Mais si Juliette et Edgar y répondent de leur voix la plus engageante, Emma s'abstient de décrocher puisqu'il lui faudrait annoncer le nom de ce qu'il convient désormais d'appeler un établissement ; en d'autres termes, prendre pleinement conscience de son statut de commerçante – un mot qui ne peut en aucun cas s'appliquer à elle.

Après un certain nombre d'appels pour de simples demandes de renseignements, l'honneur d'enregistrer la première réservation revient à Juliette. Et pas n'importe laquelle, puisque dès le lendemain se présentera leur premier client, heureux d'avoir enfin déniché un endroit où il pourrait travailler au calme durant trois semaines.

— Quel âge ? lui demande Emma surexcitée. C'est peut-être ton futur mari ?

— J'en doute ; à en juger à sa voix, il est de ta génération. Si c'est le futur mari de quelqu'un, c'est plutôt le tien…

— Ou alors celui d'Edgar…

L'intéressé ne cille pas et reste plongé dans l'étude du régime fiscal auquel sont soumis les propriétaires de chambres d'hôtes. Il faut dire qu'en quarante ans de cohabitation, sa patronne l'a suffisamment habitué à ses provocations pour qu'il reste de marbre en toutes circonstances.

— … parce que pour moi, c'est terminé tout ça !

Puis elle ponctue sa déclaration d'un sourire énigmatique dénué de toute forme de nostalgie, qui suggère plutôt que sa vie amoureuse a été si tumultueuse qu'une relation de plus pourrait bien lui être fatale.

— Il a posé beaucoup de questions ? demande Edgar.

— Non, simplement s'il y avait du wifi, et il voulait être sûr qu'il y avait bien plusieurs villages aux alentours où il pourrait prendre ses repas.

— On va lui donner la chambre prune, elle sera parfaite pour lui ! s'enthousiasme Emma. Il faut fêter ça, et aussi profiter de nos dernières heures d'intimité. Allez, je vous invite à dîner dehors !

Edgar décline, il aimerait étudier la brochure des Gîtes de France afin de décider s'il convient d'y adhérer, et craint que ce ne soit sa dernière chance de le faire au calme avant un long moment. C'est donc une soirée de filles que Juliette s'apprête à passer avec sa grand-mère, qui réserve une table dans un restaurant venant d'ouvrir à Casteljaloux. Momentanément délivrée de ses douleurs au petit orteil et portée par la perspective de devenir une femme active, Emma décide de se rendre à pied au village. L'ancienne danseuse a besoin d'exercice, même si elle souffre du dos, et il existe un raccourci à travers champs qui permet d'y accéder en un quart d'heure, alors qu'il en faut le double par la route tortueuse.

Les deux femmes partent donc bras dessus bras dessous et marchent d'un bon pas, tandis qu'Emma babille gaiement, anticipant avec enthousiasme la façon dont elle dépensera l'argent que lui rapportera sa petite entreprise. Arrivées au village, elles vont d'abord saluer Isabelle. Celle-ci tient une librairie qui s'apparente davantage à la caverne d'Ali Baba qu'à un traditionnel commerce de presse et de livres. On y trouve aussi bien des articles de papeterie, choisis avec un goût très sûr, que des jouets, de la vaisselle anglaise et toutes sortes d'objets hétéroclites. Flottant au-dessus des têtes des clients qui ne les remarquent pas toujours, des cages à oiseaux, des peluches et des poupées achèvent de donner un aspect intemporel à cet endroit qu'on n'a jamais fini d'explorer. Depuis de nombreuses années, Emma et Juliette ont pris l'habitude de s'y rendre, non seulement pour s'approvisionner en livres et en cadeaux mais aussi pour bavarder avec Isabelle, dont la petite taille et la silhouette fluette contrastent avec la force de caractère. Plantant ses yeux dans ceux de ses interlocuteurs, elle n'a pas son pareil pour sonder le fond de leur âme et leur recommander le livre qui sied le mieux à leur humeur. Toujours franche, elle donne son avis sans prendre de gants, et lorsqu'à son arrivée, Emma est venue lui confier son projet de transformation du Mas, les encouragements d'Isabelle n'ont pas été pour rien dans sa décision de ne reculer sous aucun prétexte.

Début de saison oblige, la librairie est bondée et, bien que sa sœur vienne lui prêter main-forte durant les vacances, Isabelle n'a guère le temps de bavarder. Son *Herald Tribune* en main, Emma tente donc d'entraîner sa petite-fille vers le glacier voisin, mais celle-ci lui rappelle qu'il est plutôt l'heure de l'apéritif. Installée à la terrasse du café situé sur la place principale, Emma voit passer quelques connaissances, qu'elle salue d'un petit signe de main royal. Du coin de l'œil, elle observe Jean-Claude, le serveur. Âgé d'une cinquantaine d'années, il se trouve être son plus proche voisin et forme avec son épouse un couple de babas cool qu'elle apprécie peu. Anciens alcooliques, ils ne boivent plus une goutte et consomment du café et du coca à longueur de journée, ce qui a tendance à les rendre surexcités et insomniaques. Lorsqu'il rentre chez lui, tard, après son service, il est visiblement en pleine forme et passe le reste de la nuit à écouter de la musique. Celle-ci résonne jusque chez Emma, venant troubler son précieux sommeil. Non pas que le volume soit réglé à un niveau indécent, mais elle a l'ouïe fine, et s'agissant de personnes qui lui sont antipathiques, son seuil de tolérance est à peu près au niveau de la mer Morte, chaque bruit en provenance de chez eux lui est donc insupportable. Comme si ça ne suffisait pas, son épouse Magali est masseuse et donne des cours de yoga hormonal ; une profession qui inspire une grande méfiance à la Britannique, toujours prête à élaborer toutes sortes de théories du complot. Jamais à court d'inspiration, elle a décidé qu'en plus d'être serveur, Jean-Claude était un important baron de la drogue ; une accusation qu'elle ne peut étayer sur rien, d'autant qu'il est peu probable que le village de Houeillès abrite un trafic de grande envergure, mais peu importe ; pour elle, l'affaire est entendue.

Juliette commande deux cocktails de fruits ; sa grand-mère boit peu d'alcool et elle-même préfère en consommer avec modération puisque la veille, elle est allée discrètement consulter un généraliste afin de renouveler sa dose d'antidépresseurs, qui sont en passe de devenir ses meilleurs amis. Elle a beau être plus détendue dans ce décor enchanteur, loin de Paris et des réminiscences de son dernier échec amoureux, son caractère anxieux ne la laisse pas en repos et le jury qu'elle devra faire déplacer une nouvelle fois à l'automne peuple ses nuits d'affreux cauchemars. La veille, elle a rêvé qu'à l'issue de sa soutenance, les jurées la condamnaient à être décapitée sans autre forme de procès, et même si elle s'est réveillée avant qu'on ait fini de monter l'échafaud dans la salle 105, elle a passé la journée à lutter contre l'angoisse. Un état qu'elle n'a pas souhaité partager avec Edgar et sa grand-mère, par altruisme mais aussi par crainte qu'ils ne se moquent d'elle.

Les deux verres remplis d'un cocktail orangé s'entrechoquent gaiement et Emma descend d'une traite la moitié de sa boisson.

— Au Mas de Casteljaloux ! Et à ton futur fiancé !

— Granny, j'aimerais autant qu'on oublie le sujet. Surtout que pour l'instant, il n'y a que deux choses qui m'importent : t'aider à lancer ta maison d'hôtes, et préparer à fond ma soutenance pour ne pas être trop stressée la prochaine fois.

— Comme tu veux ! Mais puisque tu n'es pas pressée de mettre fin à ton célibat, j'espère que tu as arrêté la pilule… De grâce, un peu de repos pour tes ovaires !

D'un geste, Juliette lui intime de se taire ; sa grand-mère a parlé assez fort pour faire tourner les têtes des clients des tables voisines, et elle se ratatine sur sa chaise.

— Mes ovaires te remercient de l'attention que tu leur portes, murmure-t-elle. Je ne sais pas ce que tu as contre la contraception, des centaines de millions de femmes en prennent et si c'était si nocif que ça, ça se saurait !

— Ça se sait, et depuis longtemps ! J'avais à peine ton âge quand mon gynécologue, le docteur Tolstoï, m'a interdit d'y recourir.

— Et tu lui as obéi ? lui demande Juliette, interdite à son tour.

— Comment aurais-je pu faire autrement ? Après tout, c'était le petit-neveu du grand écrivain !

— Ce qui en fait un expert en contraception, bien sûr ! Tu as de la chance de ne jamais être retombée enceinte après papa…

— Oh… Si… c'est arrivé.

— Ah bon ? À quel âge ?

— Euh… ça dépend, ça s'est produit plusieurs fois.

— Plusieurs… ça fait combien ?

Emma baisse la tête et forme le chiffre 7 avec ses doigts.

— Quoi ? s'étrangle Juliette.

— Je sais, c'est affreux. Je regrette terriblement…

Elle termine son cocktail cul sec et entraîne Juliette vers le restaurant situé quelques mètres plus loin. Le repas est excellent, mais pour des raisons inconnues, l'entrée arrive après le plat, et en plein accès de « Plaza attitude », Emma ne se fait pas prier pour convoquer le responsable et lui dire combien cet incident est *shocking*.

Il fait nuit noire lorsqu'elles reprennent le chemin de leur maison, optant de nouveau pour le raccourci à travers champs. Pour tenter de conjurer l'hystérie que lui inspire parfois sa phobie des insectes, Emma marche avec la lampe torche qu'elle a pris soin d'emporter afin d'éviter écrasement suspect et piqûres en tout genre. Elle demande en outre à Juliette de taper des pieds au cas où il y aurait des serpents – elle ne les aime qu'en bijoux. Les yeux rivés au sol qu'elles martèlent le plus bruyamment possible, elles ne rencontrent aucun reptile, mais se retrouvent soudain nez à nez avec un énorme taureau, que son propriétaire a cru bon de laisser profiter de ce bel espace pour la nuit. Juliette pousse un cri de terreur, mais contre toute attente, sa grand-mère reste d'un calme olympien.

— Tellement mieux qu'une petite bête sournoise, estime-t-elle. Même un dinosaure, c'est plus rassurant qu'un cafard, au moins il annonce la couleur.

Juliette lui empoigne le bras et s'éloigne de ce terrain miné. Retrouvant la route, elles passent devant une cabane abandonnée, qui dégage une odeur pestilentielle. Emma frissonne et accélère le pas.

— Je déteste cet endroit ! Si ça sent aussi mauvais, c'est qu'il y a un cadavre à l'intérieur, décrète-t-elle.

— Qu'est-ce que tu racontes... Peut-être que des campeurs ont cru que c'était un local à poubelles et y ont déposé leurs ordures...

— Non, je t'assure... D'ailleurs, ça puait déjà la première fois que je me suis promenée ici avec ton grand-père, alors tu imagines ! Ce pauvre cadavre doit être dans un état avancé de décomposition !

— Le seul cadavre, c'est celui qui était dans ta grosse malle ! réplique Juliette à qui le port des lourds bagages a occasionné de cuisantes courbatures.

Le passage nocturne devant la mystérieuse cabane a encore plus effrayé Emma que la faune locale, et elle est soulagée de voir apparaître les lumières de sa propriété au virage suivant. Dès qu'elle passe les grilles de sa demeure, elle retrouve sa bonne humeur et décide d'aller préparer un café – c'est la seule chose qu'elle sache faire et celui du restaurant était parfaitement imbuvable. Après l'avoir partagé avec Juliette et Edgar, ils vont se coucher sans traîner ; seules quelques heures les séparent de l'arrivée de leur premier hôte, et tous trois se doivent d'être en grande forme pour l'accueillir dignement.

Dès qu'une voiture se fait entendre au loin, les trois occupants de la maison dressent l'oreille ; les femmes se sont faites belles, Edgar a tenu à revêtir un costume et une cravate, et tous trois sont aussi excités et impatients que des enfants guettant le père Noël. Enfin, un bruit de moteur se rapproche, et le crissement de pneus sur le gravier ne tarde pas à se faire entendre. Edgar monte en courant vérifier pour la énième fois que tout est en ordre dans la chambre prune, tandis que Juliette se précipite à l'extérieur afin d'accueillir leur premier hôte, un septuagénaire qui porte avec élégance une épaisse chevelure poivre et sel.

— Bienvenue au Mas de Casteljaloux !

— Merci, lui dit-il en sortant de son véhicule ; je suis Pierre Lombard ; c'est vous que j'ai eue au téléphone ?

— Oui, enchantée, Juliette...

— Et je suis Emma ! l'interrompt sa grand-mère.

Pour la circonstance, cette dernière a pris la peine de soigner particulièrement son apparence. Debout en haut du perron, affichant une pose et un sourire des plus aristocratiques, elle a troqué sa robe d'intérieur pour un pantalon et une chemise assortie en soie bordeaux, d'élégantes sandales de marque italienne, et elle agite devant son visage un éventail japonais, qui lui sert en l'occurrence à tenter de dissimuler son léger double menton.

— Très heureux, répond-il en venant à sa rencontre.

Elle serre chaleureusement la main qu'il lui tend, et lui adresse le sourire appuyé et complice qu'elle réserve à ceux qu'elle identifie comme étant « du même monde » qu'elle. Edgar fait alors son apparition, il s'incline avec déférence devant leur premier client et s'empresse de l'aider à sortir ses bagages de la voiture. Quelques instants plus tard, c'est avec un œil de connaisseur que Pierre Lombard découvre les pièces de collection qui meublent le salon. Avant de lui faire découvrir sa chambre, Emma lui propose de prendre un rafraîchissement, et tous deux sont déjà en train de bavarder comme de vieilles connaissances lorsque Edgar vient déposer un plateau avec des boissons et une tarte aux figues, avant de se retirer discrètement.

— Votre mari ne reste pas avec nous ?

Emma sursaute, gênée.

— Ce n'est pas mon mari…

— Ah bon ?

Un temps d'hésitation, durant lequel flotte un petit parfum d'embarras.

— C'est… mon ancien employé, mais c'est surtout mon ami !

— Je vois, répond Pierre Lombard.

Que peut-il bien voir ? se demande Emma, qui réalise que, malgré la profonde affection qu'elle porte à Edgar, il continue à travailler pour elle, sans salaire de surcroît, ce qui illustre mieux la survivance d'une lutte des classes à la Dickens qu'une franche camaraderie.

— Edgar a longtemps travaillé pour ma grand-mère, intervient Juliette. C'est vrai que maintenant il vit ici en tant qu'ami, mais comme c'est le seul homme de la maison, il prend une part active au lancement de sa maison d'hôtes, dont vous êtes le premier client.

— Vraiment, le premier ?

— Oh oui, et croyez-moi, nous ferons tout pour que vous soyez heureux chez nous ! renchérit Emma, pressée de changer de sujet. Je sais que vous souhaitez un endroit où travailler au calme, et nous vous avons réservé une chambre qui dispose d'un grand bureau donnant sur le jardin ; vous y serez très bien.

— J'en suis certain.

— Si je peux me permettre, dans quoi travaillez-vous ?

— Je suis écrivain.

À l'évocation de ce métier qui lui semble incomparablement romantique, Emma fait battre ses longs cils noirs. Elle trouvait déjà son hôte très sympathique, la voilà à deux doigts de lui dire qu'il est le bienvenu aussi longtemps qu'il le souhaitera et en ami, pas en client – quel mot vulgaire quand on y pense. Et si elle se retient de le faire, c'est uniquement pour éviter les foudres conjuguées d'Edgar et Juliette.

— Et vous êtes en train d'écrire... ? minaude-t-elle.

— Un roman. Excusez-moi de ne pas m'étendre sur le sujet, j'ai toujours du mal à parler de mes livres tant qu'ils ne sont pas achevés.

— Bien entendu ! Il faudra que je vous présente Isabelle, la libraire de Casteljaloux, elle est formidable, ajoute-t-elle du ton de ceux qui sont habitués à faire se rencontrer les grands de ce monde.

— Si en plus de m'accueillir dans votre superbe demeure, vous m'indiquez une bonne librairie, je vais être très heureux chez vous.

Emma est aux anges. Si elle avait su que c'était si agréable de travailler, elle s'y serait mise depuis longtemps. C'est alors qu'elle aperçoit l'iPad posé plus loin sur le canapé. Ne songeant pas un instant qu'au XXIe siècle, même les écrivains ont abandonné plume et rouleaux de papier, elle pousse négligemment un coussin pour le cacher, ce qui a pour effet d'attirer l'attention de Pierre Lombard sur l'objet qu'il n'avait pas remarqué.

— J'ai été tellement heureux d'apprendre que vous avez du wifi, s'exclame-t-il. Sans cela, je n'aurais pas pu séjourner chez vous, j'avoue que je ne sais plus comment travailler sans Internet...

— Oh oui, nous en avons, et pas n'importe lequel, du vrai wifi du Lot-et-Garonne !

Elle cherche comment vanter davantage la qualité de ce mot qui ne lui évoque rien lorsque les sourcils froncés de sa petite-fille lui font comprendre qu'elle s'est engagée sur une très mauvaise voie. Fort heureusement, son interlocuteur a pris sa phrase pour une plaisanterie et, un large sourire aux lèvres, se déclare prêt à découvrir sa chambre.

Emma se précipite ; se reposant entièrement sur Edgar, elle n'est toujours pas montée à l'étage depuis son arrivée et saisit l'occasion d'aller y faire un petit tour. La chambre et la salle de bains sont encore plus belles que dans son souvenir ; comme elle l'a souhaité, cintres et serviettes ont été disposés à profusion – « c'est à cela qu'on reconnaît un bon établissement » –, et c'est à regret qu'elle se retire pour laisser son hôte prendre pleine possession de ses quartiers.

À peine descendue, elle se met à la recherche de Juliette qu'elle aperçoit dans la cuisine ; elle y entre, prend le soin de refermer la porte derrière elle, puis annonce impérieusement :

— *Debrief* !

C'est tout juste si sa petite-fille peut lui confirmer que le nouveau venu lui a également fait une impression très favorable car Emma babille sans s'arrêter ; elle est ravie, enchantée, l'été s'annonce bien avec des hôtes pareils et tout en spéculant sur le type de romans qu'écrit son nouvel ami, elle se taille des petits morceaux de tarte aux figues.

La dernière part engloutie, elle porte la main à son ventre ; elle éprouve soudain un terrible mal au cœur ainsi qu'un besoin irrépressible de s'allonger, et elle se retire dans ses appartements pour une sieste bien méritée.

Il est près de 20 heures quand Emma réapparaît ; cette fois, elle a succombé à la tentation de revêtir une de ses robes d'intérieur. Après tout, leur hôte a réservé pour trois semaines, elle ne peut donc pas s'obliger à être en tenue d'apparat chaque fois qu'elle risque de le croiser dans la maison.

Attirée par la bonne odeur émanant de la cuisine, elle y rejoint Juliette et Edgar, qui préparent à la fois le dîner et un cake pour le petit déjeuner, et s'assied à sa place préférée : la banquette en L du coin repas, d'où elle peut les observer à loisir en attendant que résonnent ses mots préférés : « C'est prêt ! »

Des pas dans l'escalier signalent l'arrivée de Pierre.

— Nous sommes ici ! s'écrie joyeusement la maîtresse des lieux.

— Bonsoir, pouvez-vous m'indiquer un endroit où aller dîner ?

— Naturellement, répond Edgar, je vous accompagne à votre voiture, je vous indiquerai le chemin.

— Merci beaucoup. À quelle heure servez-vous le petit déjeuner ?

— À l'heure qui vous arrange ! roucoule Emma.

Regard furieux de ses collègues.

— Je ne sais pas, disons vers 9 heures ? suggère l'écrivain.

— Parfait. Bonne soirée, Pierre.

Dès que les deux hommes ont quitté la maison, Juliette vient se planter devant sa grand-mère d'un air sévère.

— Il faut définir une tranche horaire, sinon on ne s'en sortira pas ! Pour l'instant on n'a qu'un hôte, mais ça va être plus compliqué lorsque la maison sera pleine, et si on tombe sur des lève-tard, ça peut facilement déborder et prendre toute la matinée...

— Et pourquoi pas ? Les pauvres, ils sont en vacances, tout de même…

— Mais ça monopolise une personne à plein temps ! Je doute que tu te lèves pour aider en cuisine et quand je serai partie, Edgar sera tout seul à gérer. Alors j'en parlerai avec lui et on définira une plage horaire, par exemple de 9 à 10 heures, et on s'adaptera si certains hôtes doivent partir tôt le matin.

— Tant que moi, je peux prendre mon petit déjeuner à l'heure qui me plaît, tout me va.

— Oui, de ce côté-là, aucun souci, il n'y a rien qui t'oblige à déjeuner avec tes hôtes, donc tu n'auras rien à changer à tes habitudes.

— Parfait ! Pour la vaisselle, j'ai réfléchi et ce sera le service Marie-Antoinette.

— Tu es sûre ? Je croyais que c'étaient des pièces uniques, peintes à la main…

— Absolument.

— Tu es folle, il est trop précieux. Mieux vaut le garder pour les grandes occasions !

— Avec le nombre d'années qui me restent à vivre, tu sais combien il va y en avoir, des grandes occasions ? Alors j'ai décidé d'en profiter et d'en faire profiter les autres. Et tant pis pour toi s'il y a de la casse !

— Pourquoi tant pis pour moi ?

— C'est ton héritage, ma pauvre !… Au fait, durant le petit déjeuner, que dis-tu de mettre un petit fond de Stan Getz ?

Emma a clos cet échange avec une légèreté qui semble paradoxale ; cependant, ses mots illustrent aussi bien son rapport à la mort qu'aux objets précieux. Elle aime passionnément les belles choses sans être matérialiste pour autant ; souhaite vivre le plus longtemps possible tout en envisageant la mort avec une parfaite sérénité.

Edgar revient dans la cuisine et reprend aussitôt sa place aux fourneaux.

— Vraiment sympathique, ce M. Lombard, observe-t-il sobrement.

Il soulève le couvercle d'une marmite qui mijote à petit feu, remplit une cuillère de sauce qu'il goûte du bout des lèvres, puis se tourne vers Emma, dont il sent le regard interrogateur posé sur lui.

— C'est prêt ! confirme-t-il, s'attirant aussitôt un sourire radieux.

Edgar n'a jamais aussi bien réussi ses œufs brouillés et son cake au citron, Stan Getz n'a jamais aussi bien joué, et c'est dans un état d'extrême satisfaction que le premier hôte du Mas de Casteljaloux achève son copieux repas. C'est avec Juliette qu'il l'a partagé, car Emma a jugé plus sage d'habituer dès le départ l'écrivain à se passer d'elle au petit déjeuner, d'autant plus qu'il lui est difficile d'être présentable à une heure si matinale.

Toutefois, le style grand genre du maître d'hôtel, qui a assuré le service dans la plus pure tradition d'un restaurant étoilé, a quelque peu déstabilisé Pierre Lombard, comme il le confie à Juliette en quittant la salle à manger.

— C'est vrai que dans chacune des chambres d'hôtes où j'ai séjourné, l'ambiance du petit déjeuner était différente, et Edgar est formidable, mais je ne suis pas habitué à tant de manières...

— Je crois aussi que le service gagnerait à être un peu plus simple, concède Juliette. Que voulez-vous, Edgar est un perfectionniste... mais je suppose qu'il se détendra au fur et à mesure, lorsqu'il verra que les hôtes n'en demandent pas tant.

Ils remontent ensemble à l'étage, et alors que chacun s'apprête à entrer dans sa chambre, Pierre interpelle la jeune femme.

— Vous vous y connaissez un peu en ordinateurs ?

— Euh... un peu...

— Je vous explique. Un cousin venu me rendre visite a fait planter le mien, il a tenu à régler l'horloge qui n'était pas à l'heure et depuis, c'est le chaos ! Chaque fois que j'ouvre mon texte, je dois refaire tous les réglages, ça me fait perdre un temps fou... Vous pouvez m'arranger ça ?

— J'en doute, je suis assez nulle... Vous auriez dû demander à votre cousin de le faire avant de partir...

— Je ne voulais plus qu'il y touche ! C'est un type charmant, mais qu'on surnomme le Gâtissime dans la famille... Il est beaucoup plus vieux que moi, précise-t-il, et en bonne voie vers la sénilité. Alors vous comprenez...

— Non, je ne comprends pas du tout ! rétorque Juliette. Règle numéro 1 : on ne confie pas son ordinateur à un vieux gâteux, surtout quand c'est son outil de travail !

— Je suis obligé de m'incliner devant tant de bon sens, sourit Pierre Lombard. Disons que j'ai eu un moment de faiblesse, c'est ma bonté qui m'a perdu...

— Alors voilà ce que je vous propose : Edgar va faire des courses à Bordeaux aujourd'hui ; si vous voulez, je vais lui demander de déposer votre ordinateur chez un réparateur.

Cette fois, c'est au tour de l'écrivain d'adopter un ton franchement ironique.

— « Règle numéro 1 : on ne confie pas son ordinateur à un vieux gâteux… » Si je peux me permettre, votre Edgar n'est pas ce qu'il convient d'appeler un jeune homme…

— Ça n'a rien à voir ! proteste Juliette. Il s'agit juste de le déposer…

— Je sais, je vous taquine. Quoi qu'il en soit, j'écoute rarement les conseils que l'on me donne et je trouve votre proposition très tentante. Mais ce n'est pas à lui de s'en occuper, je vais y aller moi-même…

— Vous êtes ici pour travailler et vous reposer. Ça va vous faire perdre des heures, et Edgar y va de toute façon ! Laissez-moi au moins lui demander…

L'écrivain hésite un instant puis acquiesce.

— Je vais voir à quelle heure il part ! conclut-elle avant de reprendre le chemin de l'escalier.

Des bruits lui parviennent de la cuisine et elle s'y rend aussitôt, mais contrairement à son attente, c'est sa grand-mère qu'elle y trouve, attablée devant ses œufs brouillés et la corbeille de croissants qu'elle a rapatriée de la salle à manger.

— Qu'est-ce qui t'arrive ? C'est la première fois que je te vois prendre ton petit déj ici !

Emma lui fait signe de parler moins fort.

— Je ne voulais pas croiser Pierre, je ne suis pas maquillée !

— Et tu crois qu'il l'aurait remarqué ?

— Mais certainement ! proteste-t-elle, vexée. Je ne me suis jamais présentée au regard du monde dans cet état, ce n'est pas à mon âge que je vais commencer !… Et si je peux me permettre, tu devrais…

Juliette la fait taire en lui déposant une série de baisers bruyants sur la joue ; elle connaît par cœur les conseils que sa grand-mère s'apprête à lui donner et malgré – ou à cause – de l'admiration qu'elle éprouve à son égard, elle a depuis longtemps renoncé à tenter de lui ressembler. C'est de sa mère qu'elle tient sa chevelure rousse et ses yeux verts, et comme elle, c'est au naturel, en jean, en baskets et à peine maquillée, qu'elle se sent le mieux.

Emma n'insiste pas, elle déguste avec bonheur le dernier croissant, qu'elle n'hésite pas à tartiner d'un peu de beurre bien qu'il en soit déjà largement pourvu, et observant avec culpabilité la panière vide, elle se lève d'un bond pour faire disparaître l'objet du crime, à savoir les nombreux vestiges de son petit déjeuner.

Dans la mesure où le local à poubelles se trouve sur la route, à l'extérieur de la propriété, Edgar ne s'y rend qu'une fois par jour ; Emma a donc souhaité que tous les déchets alimentaires soient mis dans un sac en plastique rangé ensuite au réfrigérateur, afin de ne pas attirer les fourmis ou d'autres insectes. Raffinement suprême, le sachet en plastique est lui-même dissimulé par un joli sac Hermès cartonné, car le sens de l'esthétisme de la maîtresse des lieux ne saurait tolérer la vision d'une poubelle dans son garde-manger. Toutes ces précautions ne s'appliquent pourtant pas aux miettes de pain et de croissants, qu'elle jette dans l'évier, sous le regard étonné de Juliette.

— Tu n'as pas peur qu'elles attirent les fourmis ?

— Non, je fais couler de l'eau très fort et elles se désintègrent ! affirme sa grand-mère en souriant d'un air féroce.

Démonstration. Elle ouvre le robinet, fait couler suffisamment d'eau pour irriguer toute l'Afrique subsaharienne, puis contemple l'eau s'écouler à flots et entraîner dans son sillage les pauvres miettes qui tournoient un moment dans l'évier avant d'être submergées, de remonter à la surface en quête d'oxygène, puis de succomber à la noyade, avant de disparaître définitivement.

— Tu vois, ma chérie ? lui demande-t-elle d'un air ravi.

— En effet… observe Juliette, songeuse. L'avantage de la désintégration, c'est qu'il n'y a aucun risque de locked-in syndrome.

— Ah non, tu ne vas pas recommencer…

Emma s'interrompt car Edgar vient de réapparaître, le carnet de réservations en main.

— La chambre fleurie est réservée à partir de demain par un couple avec leurs jumeaux.

— Quel âge ? s'inquiète Emma.

— Petits.

— Mais encore ?

— Trois ans. J'ai attiré l'attention de leur mère sur le fait qu'il y avait de nombreux objets fragiles dans la maison et elle m'a promis de les avoir à l'œil.

— Oh là là, ça ne me plaît pas du tout… gémit Emma. Ils restent combien de temps ?

— Deux nuits.

— On ne peut pas les rappeler et leur dire qu'il y a eu une erreur, que la chambre est déjà louée ?

— Non, on ne peut pas, tranche Juliette. Si on se permet de refuser des clients à la deuxième réservation, autant fermer tout de suite et rester entre nous !

Sa grand-mère a horreur des conflits, surtout lorsqu'elle sait qu'elle a tort ; elle se contente donc d'annoncer qu'elle va s'habiller, et regagne en hâte le bleu sécurisant de ses appartements.

Comme prévu, Edgar accepte bien volontiers de se charger de l'ordinateur de Pierre, et Juliette remonte informer l'écrivain qu'il partira pour Bordeaux sous peu.

Tandis que l'écrivain débranche les câbles d'alimentation et range le portable dans sa sacoche, la jeune femme observe la façon dont il a aménagé sa chambre. Une pile de livres, plusieurs carnets et des stylos recouvrent le bureau, et un petit cadre a été posé sous la lampe de chevet. Elle cède à la curiosité et s'en rapproche, l'air de rien, mais assez près pour distinguer la photo. Elle représente un voilier sur lequel on distingue vaguement les silhouettes de Pierre et d'un autre homme.

Son compagnon sûrement. Quel dommage, elle n'avait pas songé un instant qu'il puisse être homosexuel, et commençait à se dire qu'il formerait un couple idéal avec sa grand-mère.

Une fois la sacoche en main, elle se souvient qu'elle aussi est censée travailler durant l'été ; déjà trois semaines qu'ils sont arrivés et elle n'a pas touché à sa thèse. Elle regagne le salon et y cherche en vain son ordinateur ; elle était pourtant certaine de l'avoir laissé sur la table basse. Il est vrai que sa grand-mère est passée par là, aussi se dirige-t-elle vers l'armoire en noyer blond qui dissimule le téléviseur. Comme de bien entendu, elle y trouve son ordinateur posé sur une des étagères, à l'abri des regards de celle qui se définit comme une nostalgique de la France sous l'Ancien Régime.

Juliette va s'installer à la table de la salle à manger, ouvre le document sobrement intitulé « Thèse », et commence à le relire. Avant même qu'elle ait achevé la première page, une sorte de nausée conjuguée à une montée d'angoisse s'abat sur elle. Par la fenêtre ouverte, elle aperçoit Edgar en train de s'affairer dans la « petite maison », et se dit que sa virée à Bordeaux pourrait être l'occasion rêvée d'obtenir une boîte supplémentaire d'antidépresseurs auprès d'un pharmacien inconnu qui accepterait sans doute de dépanner un homme à l'allure aussi respectable qu'Edgar. Elle hésite cependant, bien consciente que confier une telle mission au maître d'hôtel l'obligerait à lui avouer quel type de médicaments elle consomme en lieu et place des infusions prescrites par sa grand-mère, ce qui le plongerait lui-même dans une angoisse folle…

Et si elle lui disait que c'est pour Pierre Lombard, et qu'elle interceptait la boîte dès le retour d'Edgar ?

Juliette pousse un profond soupir. La voilà nouvellement accro aux anxiolytiques ; il est peut-être encore un peu tôt pour ajouter la mythomanie et la manipulation à son domaine d'expertise. Alors quoi, le lui demander d'un ton décontracté, en prétendant que c'est juste pour en avoir sous la main en cas de besoin ?

Emma met un terme à ses tergiversations en faisant son entrée, superbe dans une longue robe en lin beige ; ses yeux de biche sont parfaitement maquillés et son casque de cheveux bien en place.

— Edgar est parti ? demande-t-elle, un brin d'inquiétude dans la voix.

— Pas encore, pourquoi ?

— Je me disais que puisqu'il va à Bordeaux, il pourrait nous rapporter des cannelés…

La liste d'Edgar n'en finit pas de s'allonger ; en plus du très passionnant motif de sa course – l'achat de sacs pour l'aspirateur, tâche autrefois remplie par la femme de ménage qu'Edgar a tenu à remplacer pour réduire les frais d'entretien de la propriété –, il va désormais faire la queue à l'Apple Store de Bordeaux, et vient de gagner un bon pour un détour par la pâtisserie préférée d'Emma. Prise de remords, Juliette choisit de lui épargner une négociation embarrassante auprès d'un pharmacien qui ne se priverait pas de le toiser d'un regard soupçonneux.

Et puis, en a-t-elle réellement besoin ? Elle adore les enfants et l'arrivée de ces petits anges va apporter de la joie et de la fraîcheur dans la maison.

Tout va bien.

— Non, pas par là ! s'écrie Juliette, affolée.

L'attitude réservée des jumeaux n'aura duré qu'un temps : environ trois minutes. Les trois minutes officielles de timidité de tout enfant débarquant en territoire inconnu, et précédant le moment où, mis en confiance par des adultes bienveillants, il entreprend d'explorer en toute liberté le nouveau terrain de jeu qui s'offre à lui. Aussitôt leurs parents ressortis de la maison pour aller chercher leurs bagages, Hector et Timothée se mettent à déambuler dans chaque pièce du rez-de-chaussée, fous de joie d'y trouver suffisamment d'espace pour y courir à leur aise en poussant des cris de Sioux. L'injonction de Juliette en les voyant se diriger vers la suite d'Emma reste vaine, et s'ils s'immobilisent dans leur course, c'est uniquement parce que cette dernière vient de sortir de son boudoir et se tient face à eux, toute de noir vêtue, les toisant avec gravité. Après un moment de silence, elle s'approche des petits garçons d'un air à la fois courtois et menaçant.

— Bonjour jeunes gens, je m'appelle Emma, et j'adore les enfants sages. Où sont vos parents ?

C'est à cet instant que leurs géniteurs rentrent dans la maison, accompagnés d'Edgar qui les aide à porter leurs bagages.

Les deux petits groupes se retrouvent alors face à face, aux aguets et prêts au pire, comme lors de la dernière scène de duel d'un western. D'un côté, Juliette à bout de souffle, les petits garçons et Emma. Avec son expression grave, ses vêtements et sa chevelure sombre, elle n'a plus rien d'une mamie débonnaire, et évoque plutôt Phèdre au moment où elle s'apprête à boire sa coupe de poison. De l'autre, restés dans l'entrée, les parents encombrés devinent avec grand embarras que leur progéniture s'est déjà fait remarquer. Un moment chargé de tension qu'Edgar choisit d'accentuer en faisant les présentations avec sa grandiloquence coutumière.

— Lady M, je vous présente M. et Mme Fresnet, et leurs fils, Hector et Timothée.

— ... Emma Dubreuil, soyez les bienvenus, lâche enfin la propriétaire des lieux, qui vient de se souvenir qu'elle était censée accueillir ses hôtes avec chaleur.

Estimant sans doute que les présentations ont assez duré, l'un des jumeaux se jette joyeusement sur le canapé du salon, aussitôt suivi par son frère, qui manque de renverser une lampe au passage. Leur père lâche les sacs qu'il tenait et se précipite vers eux ; il en prend un sous chaque bras et les immobilise avec fermeté, ignorant leurs cris de protestation.

— La route a été longue, tente de justifier Mme Fresnet, ils sont un peu énervés...

— Si vous voulez bien vous donner la peine de me suivre, répond Edgar, votre chambre est à l'étage...

Emma se déride dès qu'ils ont tous disparu dans l'escalier.

— Il en fait beaucoup, non ? demande-t-elle à voix basse à Juliette.

— Edgar ? Question de standing, il t'avait prévenue ! Ça t'ennuie ?

— Avec ces gens, pas du tout, on a plutôt intérêt à ce qu'ils ne se sentent pas trop à l'aise. Où est Pierre ?

— Parti pour la journée. Comme il est privé de son ordinateur, il en a profité pour rendre visite à des amis qui habitent à une trentaine de bornes d'ici.

Un bruit de chute, aussitôt suivi de pleurs d'enfant, s'échappe du premier étage.

— Il a bien fait, et je crois que nous aussi nous allons devoir opérer un repli stratégique... Si on allait se promener quelque part ?

— J'aurais bien aimé, mais il faut que j'aille au supermarché avec Edgar.

— Excellent, je vous accompagne !

— Lady M !

Le pauvre Edgar vient de redescendre et il est atterré par l'initiative d'Emma. Déjà bien éprouvé par la menace que constitue l'invasion du mini-binôme survolté, le voilà confronté à une perspective encore plus redoutable : faire les courses dans un gigantesque hypermarché de périphérie urbaine, en compagnie d'une femme qui a pour seule référence la Grande Épicerie du Bon Marché.

— Je regrette, mais ce n'est pas du tout une sortie pour vous ! Surtout qu'on va principalement acheter des packs de boisson et des produits d'entretien...

— Peu importe, depuis le temps que j'avais envie de voir à quoi ça ressemble ! Je viens, c'est décidé. Je suis sûre que ce sera amusant...

— Dans ce cas, je reste ici, décide Juliette, il vaut mieux ne pas laisser la petite famille toute seule...

— Ne t'inquiète pas, ils se changent et ils vont partir à la piscine, la rassure Edgar ; ils m'ont prévenu qu'ils ne rentreraient qu'en fin d'après-midi, alors il n'y a pas de souci.

— Tu oublies qu'il n'y a que deux places dans la Smart...

— Encore plus amusant ! s'exclame Emma. Tu te mettras à l'arrière.

— À l'arrière, c'est le coffre !

— Mais c'est un espace ouvert et il y a une vitre, non ? Tu pourras bavarder avec nous et même regarder le paysage, que veux-tu de plus ?... Allez, ne fais pas ta chochotte...

Sans laisser à sa petite-fille le temps de lui répondre, Emma disparaît quelques secondes afin d'aller chercher son sac dans sa chambre, puis, repassant devant Edgar et Juliette, elle se dirige d'un pas ferme vers la sortie sans même leur accorder un regard. Ils n'ont plus qu'à lui emboîter le pas.

Dix minutes plus tard, la Smart file sur la départementale, transportant les trois passagers qui apprécient le voyage de manières très diverses.

Emma est aux anges, non seulement parce que pour elle, toute escapade a le goût de l'aventure, mais aussi parce qu'elle sait pertinemment que la surpopulation du petit véhicule représente une infraction, et que rien ne la met de meilleure humeur que la transgression.

— Tu ne diras rien à ton père, sinon qu'est-ce que je vais me prendre ! s'esclaffe-t-elle.

Les genoux repliés pour pouvoir tenir assise dans le petit espace arrière, Juliette se cramponne comme elle le peut, ce qui ne l'empêche pas de se cogner violemment à la paroi de l'habitacle dès que la voiture rencontre une bosse sur la route. De plus, comme sa grand-mère a baissé sa vitre pour laisser entrer de l'air frais, elle doit également se battre contre ses longues mèches rousses qui viennent lui fouetter le visage.

Quant à Edgar, il sue à grosses gouttes, tremblant à l'idée de croiser une voiture de gendarmes ou pire encore, d'avoir un accident qui enverrait sa passagère non ceinturée faire une exploration aérienne du paysage extérieur. Décidément, Emma lui fait faire n'importe quoi, et il s'en veut de ne toujours pas avoir appris à résister à ses caprices.

La découverte de la taille de l'hypermarché et des milliers de produits qu'il propose plonge Emma dans un grand état d'excitation. Il faut l'empêcher de se précipiter dans chaque rayon et plus d'une fois, elle disparaît au détour d'une allée et sème ses compagnons.

— « La petite Emma est attendue à l'accueil du magasin », récite Juliette en imitant la voix enjouée de l'hôtesse qui fait les annonces.

— Je n'ose pas imaginer ce qui se passerait si on la perdait dans un endroit pareil… s'inquiète Edgar.

Garder en permanence un œil sur Emma est d'autant plus difficile qu'il doit à la fois se concentrer sur sa liste de courses et trouver le moyen de dissimuler habilement dans le chariot les denrées qu'il s'est bien gardé d'avouer qu'il achète ici : à l'exception du pain et des viennoiseries, tous les ingrédients pour le petit déjeuner et les pâtisseries qu'il confectionne, ainsi que l'essentiel de ce qui compose leurs repas.

L'hôtesse n'en finit pas d'insister sur la bonne nouvelle du jour, à savoir le fait que les épaules d'agneau sont en super-promo, et Edgar est bien tenté d'aller en acheter deux ou trois qu'il congèlera ; encore faut-il détourner l'attention d'Emma, qui n'a pas réalisé qu'ils n'ont plus les moyens de se fournir chez le boucher du village.

— Ne t'inquiète pas, je vais l'occuper, le rassure Juliette. Prends ton temps et appelle-moi quand tu auras fini.

Sa grand-mère vient encore de leur fausser compagnie et elle part à sa suite en projetant de l'emmener faire un tour au rayon des produits gastronomiques. Mais contre toute attente, c'est dans l'allée « Petit bricolage » qu'elle la retrouve, bouche bée devant les dizaines d'outils qu'elle découvre.

— Regarde-moi ça... Superbe !

— C'est... un perforateur burineur, constate Juliette, déconcertée.

— Et tu as vu cette perceuse ? Elle a un « puissant moteur avec réduction planétaire » ; je ne sais pas ce que ça veut dire, mais je trouve ça sensationnel. Je la veux absolument !

— Je suis sûre qu'on en a déjà une ; il y a plein d'outils dans le garage.

— Mais est-ce que la nôtre a une « gâchette qui permet de faire varier la vitesse du régulateur » ?

Emma a lu l'étiquette avec une gourmandise qu'accentue encore sa voix sensuelle de jeune fille, si bien que dans sa bouche, les propriétés de l'outil ont soudain pris des intonations proprement indécentes.

— C'est une perceuse, Granny, pas un *sex toy* !

Ni l'une ni l'autre n'a remarqué la femme qui vient de s'arrêter net en les reconnaissant, et s'approche d'elles d'un pas vif.

— Quelle surprise !

Elles se retournent et se retrouvent nez à nez avec Magali, la voisine baba cool qui ignore qu'Emma a fait d'elle et de son mari ses ennemis jurés.

— Franchement, c'est trop drôle de vous croiser ici !

— Ah bon ? C'est pourtant le meilleur endroit pour acheter une perceuse, et si vous avez besoin d'un décolleur de papier peint, je vous assure que vous ne le trouverez pas au village ! réplique la Britannique sans se démonter.

De plus en plus étonnée, Magali la dévisage un moment, tâchant de s'habituer à la vision de l'élégantissime dame en noir trônant devant une rangée de visseuses électriques ; elle finit par renoncer et se tourne vers Juliette.

— J'avais oublié à quel point vous avez le teint clair ; j'espère que vous vous protégez bien du soleil, parce que…

— Dites-moi, Magali, l'interrompt Emma, la dernière fois que j'ai vu votre mari, je lui ai demandé de baisser le son quand vous écoutez de la musique le soir. Il a accepté, pourtant la nuit dernière, c'était tout simplement infernal ! Je vous ai téléphoné et vous n'avez pas répondu ; je ne sais pas si vous faisiez une fête, mais le volume était trop élevé et ça m'a de nouveau empêchée de dormir…

— Ah bon ? Oui, on recevait quelques amis et c'est possible qu'on ait un peu trop monté le son… Vous savez que je fais des massages ? À des prix très attractifs, surtout pour mes voisines préférées, ajoute-t-elle d'un air entendu.

— C'est gentil mais j'ai le dos très fragile, répond Emma, alors il n'y a qu'Adèle qui puisse me manipuler.

— Adèle ?

— L'ostéopathe, un génie.

— Ah, vous voulez dire Abdel ! C'est comme vous voulez… Sinon, vous savez que je donne aussi des cours de yoga hormonal ? Ça résout les problèmes liés aux déséquilibres hormonaux et à la ménopause, je me doute que vous n'êtes plus trop concernée, mais enfin…

Scandalisée par cette manière sournoise d'évoquer son âge, Emma estime que la seule réponse opportune est l'indifférence ; elle tourne donc le dos à sa voisine et se plonge dans l'étude des décapeurs thermiques.

— Vous aussi, vous avez le dos en vrac ? demande Magali à Juliette.

— Euh… non.

— Tant mieux ! Ça vous dirait, un petit massage détox ? Sinon je fais toutes sortes de massages relaxants : suédois, californien, indien, balinais… J'ai suivi une formation très complète cet hiver.

La jeune femme réfléchit un instant. Elle aura bientôt terminé sa dernière boîte d'antidépresseurs et se dit qu'il serait plus sage de passer aux méthodes douces que faire renouveler son ordonnance.

— Pourquoi pas, je vous dirai ça...

— Très bien ! Je me déplace ou vous venez chez moi, c'est vous qui voyez...

— C'est fou ce qu'il fait froid ici ! l'interrompt Emma, qui désespère de voir leur voisine leur ficher enfin la paix.

La climatisation tourne en effet à fond, et Juliette entraîne aussitôt sa grand-mère vers la sortie.

— C'est vrai qu'on gèle, et Edgar doit nous chercher, s'excuse-t-elle auprès de Magali, à bientôt !

Elles le retrouvent à la caisse, où il s'est dépêché de dissimiler dans de larges sacs les articles alimentaires et finit de régler leurs achats.

— J'espère que chaque fois que vous faites des courses, vous pensez à prendre la note pour que je vous rembourse, s'inquiète Emma.

— Bien sûr. Sachez que j'ai demandé une facture car désormais, nous pourrons déduire toutes les dépenses liées au fonctionnement du Mas de vos revenus...

— Toutes ? répète-t-elle, émerveillée. On aurait dû acheter la perceuse...

— Déduire, ce n'est pas se faire rembourser, Granny, et comme on n'en a vraiment pas besoin...

— Soit ; on reviendra quand on commencera à faire du bénéfice... Ça sera quand, d'ailleurs ?

Sans se consulter, Edgar et Juliette lui répondent par la même mimique, exprimant leur incapacité totale à évaluer cette échéance.

— On verra bien, soupire Emma avec fatalisme.

Comme les enfants qui ont passé la journée à s'amuser à une fête foraine et sont soudain anéantis par l'épuisement, elle n'a plus qu'une hâte, rentrer chez elle pour faire un gros dodo, et elle suit sagement Edgar qui pousse le chariot bien rempli vers la sortie.

— C'est bien pensé, le petit siège pour s'asseoir dans le Caddie, surtout que le parking est immense... Je me demande si je rentre dedans...

— Sans doute, ment Edgar, mais c'est conçu pour des enfants qui font moins de 25 kilos...

— Dommage...

Juliette ne peut s'empêcher de pouffer en imaginant sa grand-mère assise dans le chariot, mais elle s'arrête net au moment où ils se retrouvent devant la Smart.

— Mince, comment on va faire avec moi dans le coffre ?

— Oui, j'y avais pensé, mais comme vous n'avez rien dit... répond Emma, avec une mauvaise foi désarmante. Commençons par ranger tous les sacs et tu n'auras qu'à t'allonger par-dessus !

— Tu dis vraiment n'importe quoi ! s'emporte Juliette, furieuse de ne pas avoir songé dès le départ qu'elle occupait la place réservée aux courses.

— L'inverse sera plus approprié, Lady M, temporise Edgar. Juliette va s'installer, on mettra tout ce qu'on pourra avec elle, et vous prendrez le reste à l'avant.

Un programme qui se révèle plus facile à énoncer qu'à réaliser, car Edgar a beau ensevelir Juliette sous les paquets, cela ne suffit pas à vider le chariot. Juste avant qu'il referme délicatement la porte du coffre, Emma sort de son sac sa petite trousse de médicaments et fourre trois granulés homéopathiques dans la bouche de sa petite-fille.

— Contre la claustrophobie, précise-t-elle.

Puis c'est à son tour de prendre place dans la voiture, et d'accueillir le reste des courses qu'Edgar est contraint de lui imposer. Elle rit aux éclats les premières secondes, puis ses gloussements se muent en couinements, et lorsque le dernier sac vient s'ajouter à ceux qu'elle avait déjà sur les genoux, elle pousse un petit soupir de victime, et avale d'un coup tout le contenu du tube de granulés.

Le retour est beaucoup plus long que l'aller, le poids de la petite voiture ne lui permettant plus de dépasser les 40 kilomètres à l'heure. Il est aussi nettement moins animé, car le fait d'être coincées par une tonne de paquets n'encourage guère les deux femmes au bavardage, surtout Juliette qui lutte contre le mal au cœur causé par l'odeur des trois épaules d'agneau calées sous son menton.

Ils arrivent au Mas en même temps que la famille Fresnet, et tandis que Juliette et Edgar se chargent de ranger les courses, Emma, qui culpabilise du peu de chaleur avec laquelle elle a accueilli ses nouveaux hôtes, échange avec eux toutes sortes d'amabilités. Les jumeaux, jusque-là assommés par leur longue journée, en profitent pour reprendre du poil de la bête, et faire du cauchemar d'Emma une réalité en shootant dans leur ballon de foot au milieu du salon.

Fort heureusement, il s'agit d'une balle en mousse qui n'atterrit pas sur la bibliothèque Majorelle, mais sur une estampe de Tamara de Lempicka, qui la représente au volant d'une Bugatti verte. La balle retombe mollement sur le sol sans faire de dégâts, sous le regard stoïque de la propriétaire des lieux.

Une nouvelle fois, les parents se hâtent d'embarquer leurs petits et remontent dans la chambre, non sans s'être excusés platement. Restée digne et souriante, Emma attend d'avoir entendu leur porte se refermer pour livrer le fond de sa pensée à sa petite-fille.

— Très sympathiques. Mais encore deux ou trois enfants comme ça et je te garantis que le concept de chambre familiale disparaîtra de notre site...

Vaincue par l'adversité, elle décide d'aller se coucher en se passant de dîner ; un manque d'appétit inhabituel qui a cependant une explication : le dernier sac posé sur ses genoux étant rempli de fruits secs et de biscuits apéritifs, elle a passé tout le trajet du retour à grignoter et a englouti plusieurs paquets sans même s'en rendre compte. Elle ressent un vague mal de cœur qu'elle compte bien dissiper en dégustant sa rituelle tasse de café ; c'est la seule chose à laquelle elle ne peut renoncer et rien ne l'empêche de dormir – sauf la musique des voisins. Dire que cette sans-gêne de Magali va maintenant les harceler avec ses massages probablement appris dans les bas-fonds de Katmandou ou dans un autre lieu de perdition où elle et son mari s'approvisionnent en drogues diverses...

Décidément, quelle dure journée ! Impossible qu'elle s'achève sans une touche de douceur et elle disparaît en embarquant discrètement ce qu'il reste de la boîte de cannelés.

Tirée du lit plus tôt que de coutume, Emma a d'abord envisagé d'attendre que ses hôtes aient quitté la table du petit déjeuner pour pouvoir prendre le sien au calme, mais privé de dîner la veille, son estomac criait famine et elle s'est finalement résolue à se joindre à eux.

Une épreuve, car la dernière fois qu'Emma a partagé un repas avec un enfant de trois ans, c'était avec Juliette ; autant dire qu'elle a eu le temps d'oublier les multiples usages qu'un enfant ingénieux peut faire de sa nourriture : pétrissage, malaxage, échafaudage, élaboration audacieuse d'un milk-shake où viennent se mélanger des matières qui n'étaient pas destinées à se rencontrer.

Pierre Lombard, lui, ne s'y est pas trompé. Sitôt un croissant et un café avalés, il est remonté dans sa chambre sous prétexte de se mettre au travail. Emma, qui concentrait toute son attention sur lui, ne peut guère ignorer plus longtemps les expériences culinaires auxquelles se livrent les enfants, et que leurs parents peinent à refréner. À chaque apparition d'Edgar, elle lui lance des regards désespérés, mais ce dernier, occupé à rapporter des toasts et des boissons chaudes et à desservir au fur et à mesure, ne peut que lui témoigner son soutien en lui adressant des sourires chargés d'empathie et de désolation.

Soudain, Timothée se lève d'un bond, et commence à tourner autour de la table en imitant le bruit d'une locomotive, aussitôt suivi par son frère, dont la petite cage thoracique révèle une envergure peu commune lorsqu'il s'agit d'imiter le bruit d'un piston à vapeur.

— Vous avez songé à leur donner un peu d'homéopathie ? tente Emma. Quelques granulés de Chamomilla 9CH font des merveilles pour calmer les enfants un peu agités…

Mais les Fresnet, qui semblent peu disposés à écouter les mérites des médecines naturelles, se contentent de quitter la table en bafouillant des excuses et luttent le plus discrètement possible pour en détacher Hector, qui s'essuie frénétiquement les mains sur la nappe en lin brodé et semble y prendre un plaisir fou. Ce qui devait arriver arrive : une assiette tombe par terre, se brisant en mille morceaux contre le carrelage en grès.

Si Emma a laissé faire, c'est parce que la première chose qu'elle a remarquée en prenant place à table, c'est que ce matin, Edgar a eu le bon sens de remplacer le service Marie-Antoinette par de la porcelaine blanche, jolie mais simple, qu'elle n'a jamais vue auparavant – et pour cause, il s'agit d'une toute nouvelle acquisition de son partenaire bienveillant, qui a anticipé la nécessité d'adapter la vaisselle aux invités.

La mort prématurée de la banale assiette blanche ne la chagrine donc nullement, et lui donne au contraire l'occasion de s'amuser en son for intérieur de la mine contrite du petit maladroit et de ses parents. Une situation dont elle tire profit en prenant un air sévère.

— Attention jeune homme ! lui dit Emma. Vous cassez l'héritage de Juliette ; or il n'y a que moi qui ai ce droit !

Et pour illustrer ses propos, elle balance une assiette à travers la fenêtre grande ouverte, et la regarde avec jubilation s'écraser contre les graviers.

Les parents la dévisagent, absolument sidérés. Les jumeaux le sont tout autant, mais ils sont surtout effrayés par le comportement aberrant de cette grand-mère, à l'évidence un peu folle et potentiellement dangereuse.

— Pardon, madame, bafouille enfin Hector, avant de détaler dans l'escalier, suivi de près par son frère.

Satisfaite, Emma se rassied et entreprend de beurrer un toast.

— Désolé pour l'assiette... et bravo, vous les avez scotchés ! observe Gilles Fresnet. Je parie qu'ils vont se tenir tranquilles pour le reste de la journée.

— Vous faites aussi les baby-sittings ? s'enquiert son épouse.

— Seulement pour mes petits-enfants.

— Vous en avez combien ?

— À part Juliette, aucun, Dieu merci !

Restée seule, Emma se ressert une tasse de thé, qu'elle savoure en goûtant le calme enfin revenu.

Au loin, elle distingue la silhouette de sa petite-fille qui vient d'achever son jogging matinal et regagne la propriété à petites foulées. Quelques minutes plus tard, elle entre dans la salle à manger, dépose un baiser sur la joue de sa grand-mère et s'installe face à elle.

— Tu as déjeuné avec nos hôtes ? Comment ça s'est passé ?

— D'après toi ? répond Emma à mi-voix. Les petits ont mis de la confiture de fraises sur leurs œufs brouillés et l'un des deux a trempé son bacon dans mon thé ! C'est toi qui avais raison pour le service Marie-Antoinette. Heureusement qu'Edgar ne m'a pas écoutée...

— Pauvre Granny... J'aurais dû attendre pour aller courir, mais après, il fait trop chaud...

Tenant dans ses mains une chemise cartonnée qui contient un tas de feuilles en désordre, Pierre Lombard apparaît alors dans le hall d'entrée. Lorsqu'il aperçoit Juliette, il change de direction pour venir la saluer.

— Il y a pas mal de bruit là-haut... Je vais aller m'installer sur la terrasse.

— Je suis vraiment confuse, se désole Emma. Dire qu'on vous avait promis que vous pourriez écrire au calme...

— Ne vous inquiétez pas, surtout qu'ils partent demain. Juliette, j'ai reposé votre ordinateur sur la table du salon ; j'ai trop de mal à me familiariser avec un nouvel engin et le mien devrait être bientôt prêt... Alors en attendant, je vais mettre de l'ordre dans mes notes.

Il quitte la pièce et gagne la terrasse située à l'arrière de la maison, où une vaste table en marbre protégée par une tonnelle permet de travailler à l'ombre. Durant un moment, la maison reste silencieuse, et Edgar vient à son tour profiter de cette accalmie pour prendre un café avec Emma et Juliette. Soudain, des bruits de pas résonnent dans l'escalier, et Sophie Fresnet entre dans la salle à manger, l'air très embarrassé.

— Je suis désolée mais il y a un problème dans la douche… Avec la manette.

— Mais encore ? demande Edgar qui s'est levé d'un bond et a recomposé en un instant son masque de maître d'hôtel guindé.

— Vous voyez le petit bitoniau qui permet de passer du robinet à la douche ? Eh bien, il a disparu…

— Très étrange, cette disparition, commente Emma. Personnellement, je ne connais aucun bitoniau qui parte se promener, comme ça, tout seul…

— Oui, je sais… C'est peut-être la femme de ménage qui l'a fait tomber… et l'a jeté sans s'en rendre compte…

— J'en doute, elle est très scrupuleuse, se défend Edgar, profondément offensé à l'idée que ses qualités de femme de ménage puissent être mises en cause.

— Je vous crois… Toujours est-il que c'est un peu ennuyeux, parce que du coup, on peut prendre des bains, mais pas de douche, et on ne peut plus se rincer les cheveux…

— Ne vous inquiétez pas, nous allons faire venir un plombier céans ! la rassure-t-il.

Sophie Fresnet le remercie et quitte la pièce, bien consciente que chacune des personnes présentes est en train d'imaginer les divers usages que ses fils ont pu faire de la manette, ainsi que les endroits incongrus où ils ont pu la dissimuler. Dès qu'elle a tourné les talons, Emma pouffe de rire.

— « Céans » ! Que signifie ce mot, Edgar ?

— Tout simplement « ici ». C'est vrai qu'il s'agit d'un mot obsolète, mais j'avoue que ça m'amuse beaucoup d'en faire des tonnes, admet-il gaiement, et j'aimerais bien qu'on continue notre petit jeu...

— Mais seulement avec eux alors, intervient Juliette, parce que ça risque de faire fuir les clients comme Pierre !

Edgar acquiesce et part vaquer à ses occupations. En réalité, il n'a pas la moindre intention de faire appel à un plombier pour poser une pièce qu'il peut remplacer lui-même ; il faudra des mois, voire des années pour assainir la situation financière d'Emma et pendant cette période, il compte bien éviter toute dépense inutile.

La robinetterie est identique dans toutes les salles de bains ; dès que la famille Fresnet est sortie, Edgar se rend chez eux pour voir ce qui a disparu. Il va ensuite photographier la pièce manquante dans la salle de bains de Gabriel, et redescend la commander sur Internet. Seul souci, la livraison prendra plusieurs jours. Il réfléchit un moment, puis prévient Emma qu'il s'absente faire une course.

Debout près des grilles du jardin, Juliette guette sa grand-mère. Il y a longtemps que celle-ci est partie en promenade et naturellement, elle n'a pas emporté son téléphone. De toute façon, elle oublie toujours de recharger la batterie, et l'appareil passe l'essentiel de sa vie en mode silencieux, dans un tiroir de sa coiffeuse. Il est rare que les balades d'Emma durent plus d'une demi-heure et Juliette commence à craindre qu'il ne lui soit arrivé quelque chose.

Enfin, la Smart d'Edgar se profile au loin, et Juliette espère un moment qu'il a rencontré sa grand-mère sur la route et la ramène avec lui. Mais non, il est seul dans sa voiture… C'est tout de même un soulagement de le voir rentrer, ne serait-ce que pour lui faire part de son angoisse ; c'est tellement plus rassurant de paniquer à deux…

Comme prévu, à la simple évocation de l'absence prolongée d'Emma, Edgar se déclare prêt à repartir illico signaler sa disparition à la gendarmerie, dans l'espoir de déclencher une alerte enlèvement garantissant une battue pointilleuse dans toute la région. Juliette lui rappelle que ce dispositif ne concerne que les enfants mineurs et tente de dédramatiser, mais malgré le ton dégagé qu'elle s'efforce de prendre, elle ressent divers symptômes qui lui rappellent étrangement ceux qu'elle a éprouvés le jour de sa soutenance, et se demande si elle est désormais condamnée à tourner de l'œil au moindre stress.

C'est alors qu'un drôle de grincement se fait entendre, leur faisant tourner la tête.

La porte du garage vient de se soulever, laissant passer Emma qui se faufile sous l'ouverture qu'elle s'est ménagée, avant de rabattre la porte.

Edgar et Juliette sont si surpris de la voir sortir de là que, loin de manifester leur joie, ils en restent pantois.

— Mais qu'est-ce que tu faisais là ? lui demande enfin sa petite-fille. J'étais super inquiète !

Emma hésite, elle se tient un moment adossée contre la porte, puis se dirige enfin vers eux.

— J'étais allée m'assurer qu'on a vraiment une perceuse, dit-elle sur le ton de l'évidence.

— Tu plaisantes ?

— Pas du tout, je n'arrête pas de penser à celle de l'autre jour, il fallait que j'en aie le cœur net…

De plus en plus sidérée, Juliette reste un moment silencieuse avant de pouvoir répondre.

— Et donc ?

— Et donc quoi ?

— On en a une ?

— Ah !… Je ne sais pas… Enfin si ! Oui, on en a une, superbe également ! Alors ça aurait été un achat inutile, n'en parlons plus.

Juliette réfléchit. Comme d'habitude, elles n'ont bu que de l'eau au déjeuner, et quand bien même sa grand-mère se serait endormie au soleil, cela ne suffirait pas à expliquer que son coup de cœur pour une perceuse se soit transformé en passion obsessionnelle.

— Vous avez mis du temps à la trouver, risque Edgar, parce que Juliette me disait qu'elle vous guettait depuis une heure...

— Ah bon ? Je n'ai pas vu le temps passer... Ça m'a fait plaisir de revoir la Bentley, alors je me suis assise dedans et j'ai dû m'assoupir... oui, je crois que c'est ça...

Juliette lance un rapide regard à Edgar ; il semble avoir autant de mal qu'elle à imaginer Emma faisant une longue sieste dans une voiture forcément glaciale, puisqu'elle dort à l'ombre d'un garage depuis plusieurs années. Étrange.

— Mais... Tu n'es pas allée te promener, finalement ?

— Si, bien sûr ! Et devinez quoi ? En passant devant la maison des voisins, je les ai aperçus en train de bavarder dans le jardin ; je n'ai pas pu m'empêcher de m'approcher pour écouter ce qu'ils disaient...

— Tu les as espionnés ? s'amuse Juliette.

— À peine, je me suis juste approchée quelques instants. Eh bien figurez-vous qu'ils parlaient de moi !

— Qu'est-ce qu'ils disaient ?

— Ils râlaient parce que je me suis plainte du bruit qu'ils ont fait l'autre nuit.

— Ils vont tout de même devoir s'y faire, observe Edgar, parce qu'en plus de vous déranger, ils risquent d'empêcher nos hôtes de dormir, ce qui est tout aussi inconcevable.

— Et comment ! D'ailleurs je leur dirai, la prochaine fois. Vous savez comment ils m'appellent ?... La Châtelaine.

— Ça vous va très bien, Lady M.

— Si vous le dites, concède-t-elle, flattée. Au fait, où en êtes-vous avec cette histoire de manette disparue ?

— J'ai commandé la pièce. En attendant qu'elle arrive, si vous n'y voyez pas d'inconvénient, je vais mettre ceci...

Sous le regard médusé des deux femmes, il sort un petit sachet de sa poche contenant un lot de tétines.

— Regardez, elles conviennent à tous types de biberons... Je me suis dit qu'une fois posée, ça permettrait de faire pivoter le petit embout de métal qui fait basculer l'eau du robinet à la douche. Ça dépanne et puis c'est sans danger, car le caoutchouc est un excellent isolant thermique.

— Bravo ! s'exclame Emma. Je propose de fêter ça en prenant un petit quelque chose sur la terrasse, je meurs de faim.

— D'accord, je vous rejoins dès que j'aurai installé la tétine dans la douche.

— Quelle drôle de phrase ! s'exclame Pierre Lombard.

L'écrivain se tient à quelques mètres d'eux ; tous trois avaient presque oublié son existence et le son de sa voix les fait sursauter. Il a passé la journée à trier ses notes dans son coin et heureux de pouvoir se détendre, il se joint au trio pour prendre un apéritif.

Alors qu'ils sont en train de trinquer, la voiture des Fresnet se profile à l'horizon, et Edgar, qui jouissait pleinement de ce moment convivial, se relève aussitôt, prêt à jouer son rôle d'employé servile.

Le père de famille se contente de les saluer en silence, car il porte dans ses bras Timothée endormi, mais quand Sophie Fresnet arrive à son tour avec Hector, Edgar vient se planter devant elle d'un air triomphant.

— Bonsoir, chère madame ! Notre spécialiste est passé ; la pièce a été commandée à la maison mère et n'arrivera que dans quelques jours, alors nous avons trouvé une solution provisoire qui permet de remédier à votre petit souci de tuyauterie.

Témoin amusé de la radicale transformation d'Edgar, Pierre devine qu'il réserve son attitude pompeuse aux clients qu'il souhaite tenir à distance, et, soulagé de ne pas en faire partie, il leur propose d'aller dîner tous les quatre au village. Le maître d'hôtel-ami-intime-femme-de-ménage-cuisinier trouve l'idée formidable, mais uniquement parce qu'il n'a pas encore préparé le dîner et se réjouit sincèrement à l'idée de passer une soirée au calme. Et l'écrivain, qui n'imagine pas combien il surestime la familiarité à laquelle Edgar est capable de s'adonner, lui fait promettre que ce n'est que partie remise.

Emma en revanche, ne se fait pas prier, pas plus que Juliette, qui apprécie la compagnie de Pierre autant que sa grand-mère. Le choix du lieu est vite fait : la Britannique est une femme d'habitudes et elle est prête à donner une nouvelle chance au restaurant qu'elles ont testé la dernière fois, surtout que Pierre n'y est encore jamais allé.

Première étape : le café de la Place, si agréable à l'heure du coucher de soleil. Emma est sûre d'y voir le mari de Magali, qui y travaille tous les jours, et elle en profitera pour l'informer de sa nouvelle activité hôtelière, argument de taille donnant encore plus de poids à sa légitime requête de silence nocturne. Bien décidée à ce que ses petits problèmes de voisinage ne gâchent pas leur soirée, elle se promet de faire honneur à son surnom de Châtelaine en se montrant d'une grande civilité.

C'est en effet Jean-Claude, l'époux de Magali, qui assure le service sur la terrasse, et Emma le gratifie de son plus beau sourire lorsqu'il vient prendre leur commande, réservant pour plus tard ses récriminations.

— Je pourrais avoir la même chose que l'autre fois ? Vous savez, le cocktail orangé que vous nous avez servi…

Oui, Jean-Claude s'en souvient parfaitement et quelques minutes plus tard, il est de retour avec un pastis pour Pierre, un panaché pour Juliette, et un verre contenant un breuvage de couleur verte qu'il pose devant Emma.

— Voilà, dit-il d'un ton satisfait.

— Mais non ! proteste l'intéressée. Je vous ai demandé la même chose que la dernière fois ; et vous m'aviez servi un cocktail orange, pas vert !

— Pareil, mais différent ! conclut-il laconiquement.

Cette réponse est loin de satisfaire la Britannique, qui n'a pas attendu d'être affublée d'un titre de noblesse pour avoir fait sienne la devise selon laquelle le client est roi.

— Que voulez-vous dire, « pareil, mais différent » ?

— C'est un cocktail de fruits, non ?

— Oui, mais je ne comprends pas ce concept. Chez moi, « pareil » signifie la même chose, l'équivalent, une réplique fidèle. Vous comprenez, mon ami, si on était au Ritz...

Mais Jean-Claude n'a pas la moindre envie de parlementer avec elle, ni pour tenter de la convaincre qu'un cocktail de fruits est un cocktail de fruits, ni pour se lancer dans un débat de fond sur des questions de sémantique, et il part prendre la commande à une table voisine.

Emma est scandalisée ; comment peut-on assumer avec autant de légèreté un tel manque de professionnalisme ? À la réflexion, peut-être que la consommation de stupéfiants rend non seulement idiot mais aussi daltonien, ce qui expliquerait qu'il ne soit plus capable de faire la différence entre les différentes boissons qu'il sert... Passons pour cette fois, vivement qu'il revienne et qu'elle puisse aborder le sujet qui la préoccupe le plus, à savoir le volume auquel lui et sa femme écoutent de la musique jusqu'à l'aube, et qui risque de compromettre le sommeil de ses hôtes. D'ailleurs, ici aussi, elle est victime d'une épouvantable pollution sonore, car la musique diffusée dans le bar est trop forte – en l'occurrence, il s'agit de « Paint it Black » des Stones, dont elle s'était déjà lassée en 1967, comme elle l'a confié à Mick la dernière fois qu'il est venu dîner chez elle. Tant qu'à diffuser des morceaux entendus cent mille fois, autant passer le *Boléro* de Ravel ; après tout, en est en France ! Lancée sur le sujet, Emma est intarissable, et résolument antimondialiste. Partout et dans n'importe quel recoin de la planète, les mêmes chansons qui tournent en boucle ; quelle tristesse... Ils sont dans le Lot-et-Garonne et devraient être en train d'écouter du Nougaro, ou n'importe quel autre chanteur hexagonal ! D'ailleurs, si elle était avec des amis étrangers et qu'ils fermaient les yeux, comment sauraient-ils qu'ils sont en France ?

De plus en plus fébrile, elle cherche Jean-Claude des yeux, et Juliette se dit qu'il est grand temps de calmer le jeu. Pierre Lombard a beau avoir l'air de trouver sa grand-mère follement amusante, il est évident que celle-ci a renoncé aux méthodes diplomatiques ; inutile de l'encourager à lui faire une démonstration de sa « Plaza attitude ». Elle se porte donc volontaire pour aller elle-même exprimer leurs doléances à Jean-Claude, mais en toute discrétion, à l'intérieur du café. Au moment où elle quitte la table, Emma lui attrape le bras et dépose un petit baiser sur sa main. Attentionnée, chaleureuse, elle ne manque jamais d'affubler les êtres qu'elle aime de toutes sortes de petites marques de tendresse, même lorsqu'elle est en colère ; un peu comme si elle tenait à leur rappeler qu'au-delà de la façade, seul compte l'amour qu'elle leur porte.

— C'est touchant de voir combien vous êtes proches, lui confie l'écrivain, ce n'est pas si fréquent... Êtes-vous sa grand-mère maternelle ou paternelle ?

— Paternelle, mais je suis un peu sa mère aussi... C'est mon fils qui a élevé Juliette pendant que sa mère passait sa vie aux quatre coins du monde.

— Elle travaille dans quoi ?

— L'humanitaire. Nourrir les enfants africains a toujours été son unique préoccupation... au point que les rares fois où elle était à Paris, elle en oubliait souvent les repas de sa propre fille. Alors naturellement, la petite était mieux chez moi. D'ailleurs, ça fait longtemps qu'elle ne l'appelle plus maman... Ce qui ne l'empêche pas de l'adorer. Que voulez-vous, c'est sa mère, c'est comme ça.

Elle s'interrompt en la voyant ressortir du café.

— C'est d'accord, lui annonce sa petite-fille, ils vont baisser le volume dès ce soir. Mais eux aussi ont une requête : ils aimeraient qu'on éteigne les veilleuses extérieures que tu laisses allumées la nuit.

— Mais pourquoi ?

— Il me dit que son plus grand bonheur est de regarder les étoiles quand il rentre de son service. Il s'allonge avec Magali dans le jardin, et ils regardent le ciel...

— Ils s'allongent dans le jardin ? Mais quelle idée, il doit y avoir toutes sortes d'insectes... J'espère qu'ils mettent une couverture sur le sol...

— Je ne sais pas, Granny, toujours est-il qu'ils voient moins bien les étoiles quand on a nos lumières allumées.

— C'est impossible, nos maisons sont au moins à 200 mètres l'une de l'autre !

— Et pourtant... Ça t'ennuie ?

— Oui ! Ce ne sont pas des lumières fortes, et elles éclairent si joliment le jardin...

— C'est vrai, mais une fois que tout le monde est couché, on n'en profite plus, tempère l'écrivain.

Le dernier d'entre nous qui va se coucher pourrait les éteindre...

— Pas question... Vous allez me trouver ridicule, mais j'ai peur du noir, avoue enfin Emma.

Loin de se moquer d'elle, Pierre la couve d'un regard bienveillant ; les yeux baissés, elle a des allures de petite fille embarrassée et il lui sourit gentiment.

— Même avec Edgar ? Même avec moi ? Vous êtes chez vous, Emma, alors c'est vous qui décidez, mais franchement, s'il vous suffit de faire un petit compromis pour dormir en paix, nous pourrions regarder ensemble quelles lumières vous semblent indispensables, et éteindre les autres afin d'être sûrs que vos voisins tiendront parole. Et je vous assure qu'avec deux vieillards dans la maison, vous ne risquez rien !

Emma hésite un instant, puis elle cède.

— D'accord, je veux bien qu'on regarde ce soir en rentrant.

Juliette n'en revient pas ; elle ne l'a jamais vue entendre raison si facilement et elle sourit à Pierre avec gratitude. Quel dommage qu'il soit homosexuel ! Voilà exactement le genre d'homme qu'il faudrait à sa grand-mère : courtois, cultivé, protecteur, et surtout avec les pieds sur terre.

Il règle la note et alors qu'ils se lèvent, Emma aperçoit Magali installée au bar du café qui leur adresse un petit signe de main.

— Elle était là ? murmure-t-elle. Je comprends pourquoi on a été autant dérangés par de la mauvaise musique ; ça doit être elle, le DJ !

— À mardi ! crie Magali à Juliette.

— À mardi quoi ? s'inquiète sa grand-mère.

— J'ai pris rendez-vous pour un massage chez elle. Elle aimerait beaucoup que tu viennes aussi, même si elle a bien compris que tu n'étais pas une cliente potentielle ; juste pour faire un peu mieux connaissance.

— Je veux bien t'accompagner, mais j'ai peur qu'elle ne veuille nous retenir à dîner ; déjà l'année dernière, chaque fois que je la croisais, elle m'invitait et je devais trouver un prétexte pour refuser.

— Pourquoi ?

— Ils sont végétariens ! Pierre, vous avez déjà fait un bon repas chez des végétariens ?

— Bien sûr !

— Mais pas chez eux ! décrète-t-elle. Il se trouve que je suis passée près de leur jardin cet après-midi, et ils étaient attablés devant un plat qui avait l'air épouvantable…

— Quel genre ?

— Comment vous dire ? Un mélange de bouillie de céréales et des légumes tristes comme ceux qu'on mangeait en France pendant la guerre ; un genre de légumes pétainistes… Il y avait aussi du tofu, et d'autres choses impossibles à identifier, mais qui m'ont semblé être de véritables insultes au bon goût.

— J'ai compris, je te promets qu'on ne restera pas. Respire un grand coup, ça va aller ! la taquine Juliette.

Au restaurant, le trio bavarde comme s'ils étaient de vieilles connaissances. Petite, Juliette préférait déjà la compagnie des adultes à celle des enfants de son âge, et elle ne peut s'empêcher de se demander si maintenant qu'elle est trentenaire, c'est auprès des seniors qu'elle se sentira le mieux. À ses yeux cependant, sa grand-mère n'a pas d'âge ; plus qu'un membre de sa famille, c'est une amie intime avec qui elle partage tout et s'amuse énormément. Elle a grandi dans son univers, en écoutant du Gershwin et du Cole Porter, en regardant des films de Fred Astaire et des classiques de la MGM, et c'est tout naturellement que ce monde est devenu le sien. D'ailleurs, à ses yeux, aucune beauté contemporaine n'égale celle d'Audrey Hepburn.

Elle pense soudain à Hervé, à ses amis et collègues du département marketing de la société coréenne de high-tech pour lequel il travaille ; pas étonnant qu'elle ne se soit jamais sentie à l'aise parmi eux. Il lui a laissé plusieurs messages depuis son arrivée, mais elle ne l'a jamais rappelé. À quoi bon ?

— Est-ce qu'il faut vraiment avoir fait l'école hôtelière pour savoir que la frisée aux lardons se mange avant le carré d'agneau ?

La voix de sa grand-mère la tire de sa rêverie ; rebelote, les plats sont arrivés avant l'entrée, et si elle a posé la question avec la courtoisie qui la caractérise, elle n'en est pas moins exaspérée. Par bonheur, la serveuse se montre aussi aimable qu'efficace et elle éteint immédiatement l'incendie en faisant repartir les plats en cuisine. Deux minutes plus tard, les entrées sont posées devant chaque convive, et la ride qui barrait le front d'Emma a disparu.

— Vous n'avez jamais songé à faire table d'hôtes ? lui demande Pierre.

— Si, mais ça nous a semblé un peu trop ambitieux de tout lancer en même temps.

— C'est dommage, car étant donné la qualité de vos petits déjeuners, je suppose que les dîners seraient savoureux ! Et pour les clients qui font de longs séjours comme moi, ce serait tellement plus agréable de dîner avec vous que d'aller seul au village tous les soirs…

— Mais comment n'y ai-je pas pensé ! À compter de maintenant, vous êtes invité tous les soirs à partager notre repas…

Eh voilà, se dit Juliette, le tempérament sociable et généreux de sa grand-mère a repris le dessus, et elle a complètement oublié que sa nouvelle activité devait servir à générer des fonds qui l'aideraient à assumer les lourdes charges de sa propriété. Il va pourtant falloir qu'elle comprenne que quels que soient les rapports amicaux qu'elle entretient avec Pierre, celui-ci est d'abord un client. Mais pour cette femme prodigue, qui n'a toujours pas fini d'expérimenter sa condition de nouvelle pauvre, quelle triste manière de réaliser qu'elle ne peut plus se permettre d'ouvrir sa table à tous, comme elle l'a toujours fait avec tant de plaisir…

Bien qu'il soit très touché par son invitation, Pierre la refuse catégoriquement ; il a bien compris la situation délicate dans laquelle se trouvait Emma, son inconscience s'agissant des questions matérielles, et s'il se fait une joie de partager les repas des Dubreuil, c'est uniquement à condition de s'acquitter d'une participation, qu'il charge Juliette de lui communiquer lorsqu'elle aura eu le temps d'étudier la question. Emma balaye ce détail déplaisant d'un revers de main.

— C'est décidé, nous dînerons désormais à la maison !

Elle réfléchit un instant, puis déclare soudain :

— Oui, il faut absolument rester chez nous, c'est tellement plus raisonnable que de dilapider son argent en sorties coûteuses !

Juliette commence à se demander si sa grand-mère ne souffre pas soudain d'un trouble de la personnalité. Deux minutes plus tôt, ses propos prouvaient qu'elle était loin d'avoir intégré la réalité et tout d'un coup, la voilà qui prône les mérites d'une vie économe. Sans compter qu'il est plutôt étonnant de la voir faire ce genre de réflexion devant un homme qu'elle connaît à peine. Décidément, Emma aura eu un comportement étrange toute la journée… Plus l'idée de faire table d'hôtes fait son chemin, plus son enthousiasme grandit, si bien que sa petite-fille renonce à exprimer ses réserves. C'est pourtant à Edgar qu'elle pense : tant qu'il ne s'agit que d'un convive en plus, il n'y aura pas de changement notable, mais dès l'instant où d'autres hôtes souhaiteront dîner au Mas, cela constituera indéniablement une charge de travail supplémentaire pour lui.

Quand vient l'heure du dessert, Emma, enchantée par la qualité de la crème brûlée qu'on lui a servie, mais aussi par la compagnie de son nouvel ami, s'adresse désormais à lui sans la moindre réserve.

— Selon moi, le sexe est largement surévalué, alors qu'avec un millefeuille de chez Jacques Genin, on n'est jamais déçu.

Juliette jette un coup d'œil inquiet à l'écrivain, craignant qu'il ne soit gêné par les confidences de sa grand-mère, mais celui-ci répond sans ciller et tous deux passent le reste du repas à disserter gaiement sur les mérites comparés du sexe et de la haute gastronomie ; question sur laquelle il se montre un peu moins radical que la Britannique.

— Il est vrai que pour éprouver de si fortes émotions lorsque je me trouve à une grande table, je dois avoir un palais très fin, poursuit Emma. D'ailleurs, je me suis autoproclamée « gourmette d'or ».

En les écoutant, Juliette se dit que pour rien au monde, elle n'échangerait une nuit d'ébats contre un dîner dans un restaurant étoilé. Par la même occasion, elle réalise qu'au fond, elle n'est pas aussi vieille qu'elle le pensait un peu plus tôt.

La soirée s'achève dans la plus grande convivialité, après un échange chaleureux avec le chef à qui la gourmande a pardonné le décalage horaire qui semble parfois frapper les entrées et les plats. Il n'y a pas de limite aux bons sentiments qui animent Emma lorsqu'elle est bien disposée, et peu avant de partir, c'est le plus sincèrement du monde qu'elle envisage de demander son nom de famille à l'adorable serveuse, en vue de la faire figurer sur son testament. Mais lui reste-t-il quelque chose à léguer qui ne revienne pas déjà à Juliette, à une amie de longue date ou à une connaissance dans le besoin ? Mieux vaut s'en assurer et remettre cette initiative à leur prochaine rencontre.

— Merci de votre grande gentillesse, lui dit-elle en lui glissant un billet de 20 euros dans la main.

Tout le monde semble dormir lorsqu'ils regagnent le Mas, et c'est avec soulagement qu'Emma voit Pierre prendre directement le chemin de sa chambre – ouf, ce n'est pas encore ce soir qu'il lui faudra éteindre une partie des veilleuses extérieures. Elle embrasse tendrement sa petite-fille qui monte à son tour se coucher, et part se préparer son café rituel.

Quelques minutes plus tard, Juliette redescend chercher de l'eau.

Du haut des marches, elle a tout juste le temps d'apercevoir sa grand-mère ressortir de la cuisine sur la pointe des pieds, tenant dans ses mains un plateau débordant de nourriture.

Elle poursuit sa descente en silence, suivant son aïeule des yeux pour s'assurer qu'elle n'a pas rêvé… Mais non, c'est bien ça.

Invraisemblable. Emma a beau avoir de l'appétit, elle ne prend jamais deux repas de suite, pas plus qu'elle ne grignote après un repas qui lui a donné entière satisfaction.

Et si elle avait oublié qu'elle a déjà dîné, et qu'il s'agissait là des premiers signes de la maladie d'Alzheimer ?

Non, c'est impossible ; même si sa grand-mère a eu une attitude déconcertante à plusieurs reprises au cours de la journée, le fait qu'elle tienne des propos irrationnels n'est pas rare, et il est trop tôt pour en conclure qu'elle souffre d'une quelconque pathologie…

Pourtant, Juliette ne peut s'empêcher d'avoir le sentiment que quelque chose lui échappe.

La solide porcelaine blanche ne constituant pas une assurance suffisante contre les barbares, Edgar a remplacé le délicat lin brodé par une épaisse nappe anti-taches achetée au marché. Malgré ces précautions, Emma n'a pas eu la force de partager un autre repas avec la famille Fresnet. Elle a probablement assez intimidé les jumeaux pour qu'ils se tiennent bien, mais rien ne vaut une longue rêverie devant sa tasse de thé, et puisque tenir compagnie à ses hôtes n'est pas obligatoire, elle attend patiemment qu'ils aient quitté la salle à manger pour savourer son petit déjeuner en écoutant le chant des oiseaux qui occupent ses arbres bien-aimés.

Comme la veille, elle observe sa petite-fille achever son jogging matinal et débouler dans la salle à manger, encore un peu essoufflée.

— Papa arrive vendredi, lui annonce-t-elle après l'avoir embrassée.

Instantanément, Emma, qui s'apprêtait à reprendre un croissant, suspend son geste. Son fils semble si bien informé de l'état de ses artères qu'elle le soupçonne de soudoyer son généraliste afin qu'il lui communique son taux de cholestérol et sa glycémie, et l'annonce de sa venue lui rappelle qu'elle a commis un peu trop d'écarts ces dernières semaines.

Quelques secondes de réflexion lui suffisent cependant pour en venir à la conclusion qui guide tous ses choix : la vie est bien trop courte pour ne pas en profiter. Aussi, sans plus d'état d'âme, elle achève sereinement son geste ; il sera toujours temps de se tenir à carreau lorsque Gabriel sera là.

— Formidable ! s'exclame-t-elle en attrapant la marmelade d'oranges. Il reste longtemps ?

— Tu le connais, probablement trois ou quatre jours. J'ai hâte de voir ce qu'il pensera de la transformation du Mas...

Elle s'interrompt en entendant des bruits de pas dans l'escalier : ceux des Fresnet qui commencent à descendre leurs bagages. Apercevant les deux femmes, ils entrent dans la salle à manger et échangent quelques politesses, que Gilles Fresnet conclut en sortant son portefeuille.

— Je vais vous payer ; notre facture est prête ?

— Au fait, j'avais oublié de vous demander : vous prenez les cartes bleues ? complète sa femme.

Emma est complètement déconcertée par la tournure qu'a pris leur échange ; rien que des mots obscènes, et pas la moindre idée de la réponse appropriée ; heureusement, Juliette se lève aussitôt afin de s'en charger.

— Je te laisse t'occuper de l'encaissement, dit Gilles Fresnet à son épouse, je vais chercher les derniers sacs.

« L'encaissement »... Un mot qu'Emma n'aurait jamais cru entendre dans sa maison. Mais où va le monde ? se demande-t-elle, de plus en plus accablée.

Par la porte ouverte, elle aperçoit les jumeaux, qui, ne se sachant pas observés, sautent comme des cabris dans le salon. Plus que dix minutes et ils seront partis, se répète Emma tandis qu'ils se jettent des coussins à la figure. Au troisième lancer, un coussin atterrit directement sur une statuette de danseuse, délicatement figée dans une parfaite arabesque. Lorsqu'elle heurte le sol, un épouvantable fracas fait détaler les enfants et accourir Edgar. La sculpture est en bronze et, a priori, elle n'a pas souffert du choc, mais Emma est encore pétrifiée d'angoisse quand elle parvient sur le lieu du crime. Edgar est en train d'examiner l'œuvre d'art sous toutes ses coutures et il lui confirme qu'elle a résisté au choc, il semble toutefois aussi traumatisé que sa Lady M.

— C'est bon, on a réglé ; on y va ! annonce Sophie Fresnet en pénétrant dans le salon. Où sont passés les garçons ?

— Ils vous attendent dehors, lui répond Edgar qui a vu les coupables chercher une planque dans le véhicule familial.

Une fois sortis, elle et son mari ont en effet la surprise de découvrir que leurs fils sont non seulement déjà installés dans la voiture, mais qu'en plus, ils ont déjà bouclé leur ceinture de sécurité, alors que d'ordinaire, il faut passer par toutes sortes de supplications puis de menaces pour les convaincre de la mettre. Affichant une expression angélique, ils attendent sagement leurs parents, priant en silence pour que leur dernier méfait ait par miracle échappé à la grand-mère folle.

Cette dernière et son fidèle compagnon ont accompagné leurs hôtes à la porte et les regardent partir, debout sur le perron, en agitant leur main en signe d'adieu. Alors qu'elle est encore en train de sourire en direction de la voiture qui s'éloigne, Emma appuie son bras sur l'épaule d'Edgar et pousse un profond soupir.

— Maintenant, je vais aller me recoucher et prétendre que rien de tout cela n'est jamais arrivé.

Sitôt dit, elle fait volte-face et disparaît dans la douceur de sa chambre bleue.

Au premier étage se trouve un autre occupant de la maison qui n'en mène pas large : Pierre vient d'apprendre que son ordinateur n'était toujours pas prêt, ce qui le contrarie fortement. Cette retraite de trois semaines était censée lui permettre de bien avancer sur son roman, or il ne se sent plus capable d'écrire autrement que sur la seule machine qu'il maîtrise.

Sortant de sa chambre, il s'arrête devant celle de Juliette qui a laissé sa porte grande ouverte. Immobile, les yeux dans le vide, elle est à moitié prostrée. Comme la fois précédente, le simple affichage du mot « Thèse » lui a donné envie de partir en courant. Elle ne pourra tout de même pas se dérober éternellement, car derrière l'épreuve de la soutenance, ce qui l'inquiète en réalité, c'est son avenir. Que faire ensuite ? Enseigner ? Poursuivre ses recherches et tenter de décrocher l'un des rares postes stables de chercheur ? Pourquoi pas mourir d'ennui tout de suite, sans même passer par la case départ ?

— Je vous dérange ? demande timidement Pierre, qui apparaît à l'entrée de sa chambre.

— Pas du tout ! Je devrais être en train de travailler, mais je n'arrive pas à m'y mettre.

— J'ai quelque chose à vous proposer, mais je ne voudrais pas abuser de votre temps, surtout si vous avez du travail.

— Dites toujours...

— Mon ordinateur n'est toujours pas réparé, et je sais qu'il va me falloir un temps fou pour être à l'aise avec le vôtre. Alors je me demandais si vous accepteriez que je vous dicte un chapitre et quelques passages ; remettre mes notes en ordre m'a donné un certain nombre d'idées et j'aimerais leur donner vie le plus rapi...

— C'est d'accord !

— Attendez, il faut qu'on définisse une rémunération...

— Mais non, ça me fait plaisir de vous rendre service.

— Il n'est pas question que vous travailliez pour rien.

— Bon, alors on verra ça plus tard. On commence quand ?

— Tout de suite, si vous le voulez bien.

— C'est parti !

Le poids qui écrasait Juliette s'est évanoui dès les premiers mots de l'écrivain ; elle referme son ordinateur, le prend sous son bras et c'est d'un pas léger qu'elle suit Pierre dans sa chambre.

Pour le troisième jour consécutif, Juliette reste enfermée avec Pierre. Le fait qu'elle saisisse son texte permet à l'écrivain de faire les cent pas tout en énonçant les phrases au fur et à mesure qu'elles s'esquissent dans sa tête, un luxe qu'il apprécie grandement. Lorsqu'il doute ou bute sur une phrase, la jeune femme est souvent en mesure de l'éclairer de son regard neuf et distancié. Comblé par cette collaboration fructueuse, il en oublierait presque l'absence de son ordinateur.

Sitôt la famille Fresnet partie, le calme est revenu dans la maison ; Edgar a commencé par s'en réjouir, mais il est maintenant à deux doigts de s'ennuyer, et lorsque le téléphone sonne pour annoncer une nouvelle réservation, celle d'une femme et de sa fille adolescente, il accueille la nouvelle avec soulagement.

— Nous les mettrons dans la chambre Nature, décide Emma.

— Parfait, Lady M. Je vais aller à une brocante du côté de Marmande, je vous emmène ?

— Non merci, je vais rester ici.

Sachant à quel point la Britannique aime chiner, Edgar s'attendait à tout sauf à cette réponse.

— Vous vous sentez bien ?

— Très bien, mais il vaut mieux que je m'abstienne ; vous savez que Gabriel m'a interdite de brocante depuis que j'ai acheté une armoire qui ne passait pas par la porte de ma chambre !

— Certes, mais nous ne sommes pas obligés de le lui dire...

— Et puis j'ai promis d'accompagner Juliette à son massage chez nos voisins.

— Mais elle m'a dit que son rendez-vous est à 18 heures, ça vous laisse amplement le temps...

— Je sais, mais non, merci. Je préfère rester lire dans le jardin.

Edgar s'incline et quitte la maison, intrigué. Lorsqu'il va faire une course dans un village voisin, il propose toujours à Emma de se joindre à lui et d'ordinaire, elle accepte volontiers puisque son absence de permis de conduire la rend tributaire des déplacements des autres. Mais depuis quelques jours, elle trouve systématiquement une raison de refuser ; et s'agissant de se rendre à une brocante, c'est franchement incompréhensible. Craignant qu'elle ne soit souffrante et répugne à l'avouer, Edgar songe un instant à rester au Mas. Mais si c'est le cas, elle passera l'après-midi à dormir, ce qui ne lui laissera guère l'occasion de se rendre utile. Il revient donc à son projet initial : dénicher une yaourtière et d'autres articles lui permettant de confectionner de bons produits à bas prix, et il prend la route en se promettant de ne pas traîner.

Juliette sort de la chambre de Pierre en fin d'après-midi, et elle se met aussitôt à la recherche de sa grand-mère qu'elle finit par trouver, s'extirpant du garage.

— Encore la perceuse ? lui demande Juliette, incrédule.

— Non... J'ai perdu une boucle d'oreille et j'étais partie voir si elle n'était pas tombée dans la Bentley.

— Et tu l'as retrouvée ?

Emma marmonne quelques mots inintelligibles et change de sujet.

— Je suis obligée de t'accompagner chez Jimi Hendrix et Janis Joplin ?

— Oui ! Tu avais promis !

— Mais qu'est-ce que je vais faire pendant ton massage ?

— La même chose qu'ici ! Te reposer dans le jardin, bouquiner... Voilà, prends un livre ; de toute façon, tu pourras toujours rentrer sans m'attendre si tu t'ennuies trop ! Allez, fais un effort, en plus c'est dans ton intérêt de bien t'entendre avec eux...

— Bon, d'accord, soupire Emma en se levant, mais je te préviens : si elle te donne un slip en papier pour remplacer le tien pendant le massage, tu refuses !

— Pourquoi ?

— Imagine que ce soit la fin du monde et que ce soit ta dernière tenue !

— Si c'est la fin du monde, personne ne le saura.

Sa grand-mère lui jette un regard horrifié.

— Toi, tu le sauras ! Comment peut-on mourir en paix dans de telles conditions ?

Juliette jette l'éponge, tout en souriant à l'idée que ses sous-vêtements feraient partie des préoccupations de sa grand-mère si c'était la fin du monde. Ce genre d'extravagance, si caractéristique de sa personnalité, lui inspire une infinie tendresse, et elle passe son bras autour de sa taille afin de l'entraîner en direction de la maison des voisins.

Bien plus modeste que la demeure des Dubreuil, celle de Magali et Jean-Claude a cependant été bâtie avec la même pierre locale et elle est également entourée d'un vaste jardin. Aucun jardinier n'officie chez eux et les plantations plus au moins organisées sont l'œuvre des propriétaires, tout comme la décoration, qui consiste en des lampions en papier coloré et des drapeaux de prières tibétains suspendus aux branches des arbres.

À même la pelouse, un ensemble de chaises et de transats dépareillés entourent une table en bois vintage sur laquelle Magali a posé une bouteille de rosé, du jus de fruits et des biscuits apéritifs. Elle accueille ses voisines avec chaleur, se réjouissant visiblement de cette occasion de tisser des liens avec elles.

À la fin du premier verre, la conversation languit un peu, et Juliette propose de passer au soin, tout en précisant qu'elle laisse Magali choisir celui qui lui semble le plus approprié. Cette dernière opte pour un massage californien ; particulièrement adapté aux personnes angoissées, il lui semble idéal pour la jeune femme qu'elle trouve un peu tendue.

— Bien prodigué, ce soin permet d'atteindre un état d'ouverture, de détente et d'abandon, ajoute-t-elle sur un ton tout à fait professionnel.

— Ça se passe comment ? demande Emma, que ces derniers mots ont légèrement inquiétée.

— De longs effleurements... puis des pétrissages auxquels s'ajoutent des mouvements de glisse, qui agissent en profondeur sur les tissus afin de dénouer les tensions.

Fort alarmée par ces précisions, Emma commence à se dire qu'en plus de frayer avec des dealers, elle est peut-être sur le point de confier sa petite-fille à de redoutables détraqués sexuels. Ceci lui donne une furieuse envie de trouver n'importe quel prétexte pour annuler le massage, mais avant qu'elle ait le moindre début d'idée, Magali a déjà entraîné Juliette dans la maison, son bras familièrement passé autour de l'épaule de la jeune fille.

— Faites comme chez vous ! lui lance Magali.

— Ou rentre à la maison si tu t'ennuies ! lui rappelle Juliette avant de disparaître dans la cabine de massage.

Comme si elle allait la laisser seule avec cette prédatrice qui n'a probablement qu'une idée en tête : lui livrer sa propre interprétation du *Kâmasûtra* !

Après avoir envisagé les pires éventualités, Emma en vient tout de même à la conclusion qu'en cas d'assaut, sa petite-fille saurait se défendre, et se rassure à l'idée que si Magali était malintentionnée, elle n'aurait pas insisté pour qu'un témoin soit présent durant le rendez-vous. Ce n'est tout de même pas une raison pour se défiler, et elle rapproche son transat de la maison afin d'entendre les éventuels appels au secours que Juliette pourrait lui lancer. Une épouvantable musique aux consonances indiennes s'échappe de la maison – comme si Casteljaloux était le lieu approprié pour écouter du Ravi Shankar ! – un autre de ses amis, franchement adorable, mais même à vingt ans, Emma trouvait que le sitar était un instrument absurde. Ça a beau avoir plein de cordes, ça ne fait pas le poids face à une belle viole de gambe. Guère plus qu'une mitaine comparée à un gant en chevreau. Une réflexion qu'elle avait d'ailleurs partagée avec Ravi, qui avait eu le bon goût de ne pas s'en offusquer et lui avait conservé toute son amitié, mais là n'est pas la question ! Un général n'abandonne pas ses troupes et Emma reste fidèle au poste. Après s'être poliment ennuyée pendant un bon quart d'heure, elle cède enfin à son envie de faire quelques pas dans le jardin.

À l'arrière de la maison se trouve le potager dont elle les a entendus parler lorsqu'elle les espionnait, et elle s'en approche. Penchée au-dessus des plantations, elle reconnaît sans peine les légumes peu appétissants dont ils semblaient se régaler durant leur déjeuner, déambule le long d'une allée de salades et de tomates, puis apercevant des plants de fraises un peu plus loin, elle s'en approche afin d'en goûter une. Juste derrière, discrètement alignées le long du mur qui délimite la propriété, poussent des petites plantes aux longues feuilles et elle se penche pour les examiner de plus près, se demandant de quel fruit elles peuvent bien porter la graine.

Soudain, tout s'éclaire ; mais oui ! Elle les reconnaît et leur nom s'impose dans son esprit horrifié. *God almighty*, c'est du cannabis, sournoisement dissimulé à l'ombre d'un paisible potager. Aucun doute, elle en a déjà vu en photo. Jean-Claude et Magali ne sont pas de simples trafiquants, ils sont également producteurs. Et pour Emma, qui n'a pas toujours eu des fréquentations recommandables et a constaté les ravages provoqués par la drogue avant tout le monde, c'est une très mauvaise nouvelle. Elle songe au documentaire qu'elle a regardé le mois précédent, et qui portait sur le Triangle d'or, à savoir le Myanmar, le Laos, et la Thaïlande, hauts lieux de la culture de l'opium nécessaire à la fabrication de l'héroïne. Et pleinement consciente de repousser toujours plus loin les limites de sa mauvaise foi, elle se demande si ce n'est pas ici même, entre Houeillès, Casteljaloux et Buzet-sur-Baïse, que se concentre le plus gros trafic mondial. Et dire que Juliette et Edgar l'accusent parfois d'être paranoïaque ! Elle va leur montrer qui a raison.

Un petit coup d'œil à la maison lui confirme que sa petite-fille et Magali ne sont toujours pas sorties de la salle d'attouchements ; elle se penche, arrache une petite branche et la dissimule dans la poche de sa veste en lin. Aussitôt, sa main se met à la démanger ; pas étonnant qu'elle n'ait jamais été attirée par les drogues ; il suffit qu'elle s'en approche pour commencer à en ressentir les effets secondaires.

Elle regagne rapidement son transat ; à peine s'y est-elle assise que Juliette et Magali font leur apparition sur la terrasse.

— Tout s'est bien passé, ma chérie ? demande Emma, la gorge nouée.

— Très bien, Granny.

Sa splendide chevelure rousse est à moitié collée, à moitié dressée sur sa tête, graissée par l'huile qui a coulé dans ses cheveux tandis que Magali massait sa nuque puis son visage.

— Tu ne vas pas repartir comme ça, lui dit cette dernière, je t'ai mis une serviette dans la salle de bains pour que tu puisses prendre une douche.

— Elle se douchera à la maison, répond Emma qui voit d'un très mauvais œil ce tutoiement inopiné.

— Mais non, et puis ça nous permettra de reprendre un petit apéro !

— Non, vraiment, on ne peut pas rester.

— Mais ça me fait plaisir ; vous n'êtes quand même pas si pressées que ça !

— Si... Juliette va... son directeur de thèse... Il...

Elle cherche un argument, n'en trouve aucun, et lance un regard désespéré à sa petite-fille.

— ... Mon directeur de thèse est de passage dans la région et je vais lui présenter ma grand-mère. On a rendez-vous.

— Maintenant ? Prends au moins le temps de te laver les cheveux, je t'ai mis de l'huile jusqu'en haut du crâne ! insiste Magali.

— Impossible, il nous attend au restaurant, répond Juliette, qui n'a pas eu l'occasion de se regarder dans une glace et ignore l'étendue du désastre.

Totalement consternée, Magali se tourne vers Emma.

— Elle va vraiment y aller comme ça ?

— Oui, mais je ne vois pas où est le problème, répond la Britannique d'un ton léger. Son directeur a forcément l'habitude : les Français ne se lavent jamais, c'est bien connu !

Sur le chemin du Mas, une fois qu'elles sont à l'abri des regards de la masseuse, Emma sort un petit miroir de son sac à main et le tend à sa petite-fille, qui est prise d'un fou rire en découvrant son apparence.

— Dépêchons-nous ! Déjà que j'ai transformé ta directrice de thèse en homme, elle va vraiment finir par perdre patience si en plus, on la fait attendre au restaurant ! pouffe sa grand-mère.

— Qu'est-ce qui t'a pris de faire croire à Magali qu'on allait à un rendez-vous alors que j'ai cette tête ?

— Je n'en pouvais plus d'être là-bas ; et puis j'ai fait une découverte, je te montrerai à la maison, dit-elle plus bas, après avoir jeté un coup d'œil méfiant par-dessus son épaule.

De retour dans son salon douillet, Emma y fait asseoir Juliette et Edgar, et leur raconte sa promenade dans le jardin des voisins, achevant son récit sur sa trouvaille inattendue. Elle laisse le suspense planer durant quelques secondes, puis annonçant le nom de la plante prohibée, met la main à la poche et en sort la branche qu'elle leur présente d'un air triomphant.

Avant de la jeter sur la table basse car décidément, elle est allergique au cannabis.

Edgar examine doucement sa main irritée et couverte de petites plaques rouges.

— Je n'aime pas vous contredire, Lady M, mais si c'est ça, la plante que trafiquent vos voisins, vous pouvez dormir tranquille, parce que ce sont des orties !

De la fenêtre de sa chambre, Emma guette le départ de Juliette et Edgar, qui s'apprêtent à se rendre au supermarché. Le pénible retour qu'ils ont effectué engloutis sous les dizaines de sacs est dans toutes les mémoires ; il a tacitement exclu toute possibilité d'une nouvelle expédition à trois, et au grand soulagement de ses compagnons, Emma a généreusement proposé de céder sa place à sa petite-fille.

Les portes de la Smart claquent ; il ne reste plus que Pierre, lui-même en partance pour Bordeaux, où l'attend son ordinateur réparé.

Emma se regarde dans le miroir : elle est vêtue d'un survêtement et de baskets, une tenue qu'elle est loin d'apprécier, mais certainement plus adaptée que ses robes en lin et ses sandales fines pour mener à bien la longue marche qui l'attend.

Enfin, elle voit la voiture de Pierre s'éloigner le long de l'allée de tilleuls. La voie est libre.

Elle entre dans la cuisine et ouvre la petite porte menant à l'ancien garde-manger, qui fait désormais figure d'office. Edgar y range toutes sortes d'objets encombrants ou peu utilisés, et elle espère bien y trouver le chariot à roulettes qu'il prend lorsqu'il se rend au marché. Oui, il est là ; elle l'attrape, quitte rapidement la maison, et passe à son tour les grilles du Mas.

Une heure plus tard, lorsqu'elle reprend sa marche sur la route intercommunale, la fatigue s'abat sur elle avec la même force que le soleil, qui brille de son implacable pouvoir. L'apiculteur qu'elle est venue voir lui a bien vendu quelques pots de miel et de confiture, mais contrairement à ses espérances, il ne cultive aucun produit frais, et elle suit désormais le chemin qu'il lui a indiqué, en guettant le panneau de la propriété où elle pourra acheter des fruits et légumes. C'est une route bordée d'arbres, une aubaine car dans sa précipitation, elle est partie sans son chapeau de paille, et elle ne pourrait poursuivre sa quête sans l'ombre qui la sauve d'une insolation.

Une voiture se profile au loin et elle s'immobilise en reconnaissant une Smart. Paniquée à l'idée qu'il puisse s'agir d'Edgar et de Juliette, elle cherche un endroit où se cacher, quitte la route, grimpe avec difficulté le petit talus qui la borde en traînant son encombrant chariot, et disparaît derrière un arbre. La voiture passe sans ralentir ; fausse alerte, c'était la Smart de quelqu'un d'autre. Emma regarde sa montre ; a priori, il est trop tôt pour que les courses soient déjà terminées, mais il faut vraiment qu'elle se dépêche si elle veut être la première à regagner la maison. D'après ses estimations, il lui reste une heure tout au plus et si elle n'atteint pas son but dans les dix minutes, il lui faudra rebrousser chemin.

Elle redescend le talus, beaucoup plus vite que prévu, car son chariot l'a devancée et l'entraîne avec lui, la forçant à dévaler la pente en courant. Elle se retrouve sur la route avant d'avoir eu le temps de dire ouf, mais non sans avoir poussé de charmants petits jurons en anglais, qui résonnent dans la nature redevenue déserte. La dernière fois qu'elle a fait autant de sport, c'était en 1978, année où elle avait livré sa dernière partie de tennis dans le club huppé qu'elle fréquentait alors. Bien que sa partenaire soit bien plus prompte à échanger des ragots que des balles, la partie s'était achevée sur un échec suffisamment cuisant pour qu'elle décide de renoncer définitivement à toute forme d'exercice. Mettant un terme à plusieurs décennies d'abstinence, c'est donc un véritable tsunami qu'Emma impose soudain à son corps indolent, qui plus est par une température avoisinant les 30 degrés. Elle met de longues minutes à se remettre de sa cavalcade le long de la pente, avant de pouvoir reprendre courageusement sa marche. Au détour du virage suivant, la vision du panneau fléché sur lequel est écrit « Vente de melons » la récompense de ses efforts et lui donne la force d'aller jusqu'au bout.

Il existe une énorme différence entre tirer un chariot vide et transporter la même lesté de plusieurs kilos, Emma en fait la douloureuse expérience ; lorsqu'elle regagne enfin l'allée de tilleuls, elle est littéralement exténuée. Cependant, elle trouve encore la force d'accélérer le pas, soucieuse de savoir si l'un des occupants du Mas est déjà rentré. À son grand soulagement, aucune voiture n'est en vue, et il ne lui reste plus qu'à se délester de ses provisions. Une fois passée la grille, Emma doit encore tirer à deux mains le lourd chariot dont les roues butent sur les graviers ; elle le traîne tant bien que mal jusqu'au parking, puis fait basculer la porte avec l'aisance de l'habitude. Lorsqu'elle en ressort quelques minutes plus tard, le chariot est vide.

C'est seulement une fois arrivée sur le perron qu'elle réalise être partie en claquant la porte, sans penser à prendre ses clés. Par bonheur, le prudent Edgar a caché un double de sécurité à l'extérieur de la maison. Elle la contourne et grimpe les cinq marches la séparant de la terrasse arrière, où se trouve une étagère en fer forgé servant de desserte. À chacune de ses extrémités se trouve la statue d'un angelot, dont l'un tient une coupe sur son épaule. Elle y plonge la main, et la ressort en poussant un petit cri de dégoût : le trousseau de clés est recouvert d'un magma composé de chocolat et de caramel fondus, auquel est collé un morceau de papier d'emballage. Elle va passer sa main poisseuse et les clés sous le tuyau d'arrosage du jardin, et tandis que l'eau rince les sucreries, se détache un petit embout métallique qui tombe dans l'herbe. Emma le ramasse et l'observe, intriguée.

Impossible d'identifier cet objet insolite qui lui semble pourtant extrêmement familier… Et pour cause ! Elle reconnaît soudain le petit bitoniau de la robinetterie de sa salle de bains ; c'est le même que celui qui a disparu chez les Fresnet. Elle savait bien qu'il finirait par réapparaître…

Pendant ce temps, le bruit de l'eau qui coulait a masqué celui de la Smart qui regagne la propriété, et tout occupée à sa tâche, Emma n'a pas entendu ses passagers entrer dans la maison. L'apercevant par la fenêtre de la cuisine, Juliette ouvre la porte de la terrasse et vient à sa rencontre.

— Qu'est-ce que tu fais, Granny ?

— Je suis sortie me promener en claquant la porte, alors je suis venue chercher le double des clés, et regarde ce que j'ai trouvé !

D'une main, elle brandit le trousseau encore collé par le caramel ; de l'autre, la petite manette.

— S'il te plaît ma chérie, la prochaine fois qu'on nous posera la question, on pourra dire que les enfants ne sont pas admis ? Parce que tout bien pensé, je préfère nettement les animaux !

Juliette éclate de rire et repart aider Edgar qui finit de décharger la voiture.

Ouf, ni vu ni connu. « Je l'ai échappé belle », se dit Emma.

Il n'y a plus une minute à perdre ; elle ramasse le chariot qui gît quelques mètres plus loin, couché sur la pelouse, et fonce à l'intérieur de la maison le remettre à sa place.

Le lendemain, lorsque la voiture transportant les nouvelles venues se gare devant le Mas, c'est presque en professionnels blasés que Juliette et Edgar les accueillent.

Comptable dans une agence de publicité, Delphine Lefèvre a une quarantaine d'années ; divorcée, elle voyage avec sa fille Lola à destination de l'Espagne où les attendent des amis. Depuis Paris, la route est longue, et le Mas de Casteljaloux est le lieu qu'elles ont choisi pour faire étape afin de visiter un peu la région.

Lola a péniblement réussi à passer en 1re ES, celle où l'on met les élèves qui sont « bons en rien, mauvais en tout », c'est du moins le résumé qu'en a fait son professeur principal, qui aurait bien vu cette jeune fille charmante, mais totalement désinvolte, repiquer sa seconde. De longs cheveux châtains descendent en cascade dans son dos, elle porte deux fois plus de maquillage que sa mère, mais ne cherche pas à dissimuler son appareil dentaire, qu'elle assume aussi bien que ses rondeurs et sa joie de vivre.

Dès les premiers échanges, le ton est donné : Delphine espère bien réussir à convaincre sa fille qu'il est grand temps de se mettre au travail ; mais bien entendu, dans l'ordre de priorité qui régit la vie de Lola, les études passent loin derrière les réseaux sociaux, les dernières tendances en matière de vernis à ongles, et les innombrables émissions de téléréalité qu'elle suit avec une constance dont elle ne fait preuve dans aucun autre domaine. Naturellement, comme tous ses amis, elle jure qu'elle regarde ces programmes avec recul et uniquement pour le plaisir de se détendre aux dépens des individus décérébrés qui les peuplent, mais il suffit que sa mère les critique pour qu'elle prenne leur défense avec la rage d'une lionne dont les petits sont menacés.

Ensemble, elles forment un duo bien représentatif de la relation « ado pénible, mère stressante » – mais l'inverse marche aussi –, à une nuance près toutefois : la jeune fille et sa mère sont parfaitement conscientes d'être enfermées dans le rôle qui leur incombe, et chacune y joue sa partition comme il se doit.

Pour la première fois depuis plusieurs jours, Pierre s'est remis au travail seul ; Juliette sait qu'elle est censée en faire autant, mais toutes les occasions sont bonnes pour repousser l'échéance. Après avoir conduit les Lefèvre à leur chambre, Juliette leur propose de la rejoindre dans le jardin autour d'un verre. Au bout d'un moment, Lola s'éloigne pour aller prendre un bain de soleil sur la pelouse, et la conversation glisse sur l'agence où travaille Delphine. Même si elle passe son temps à aligner des chiffres, elle fréquente un monde qui fait rêver Juliette, et en songeant aux personnes qui évoluent dans un univers ludique et créatif, elle se dit qu'elle serait prête à tout pour échanger la place qui l'attend avec la leur.

— Et Lola, qu'est-ce qu'elle souhaite faire, plus tard ?

— Ça dépend de son humeur : la semaine dernière, c'était photographe ; hier, psy, mais en même temps, elle me parle d'une école de journalisme... Bref, on verra bien... Ça me fait penser qu'elle n'a pas fait son heure de lecture aujourd'hui ; elle m'a promis de s'y tenir jusqu'à notre arrivée à Barcelone et ce n'est pas le moment de flancher...

Ce disant, elle sort son téléphone de sa poche et envoie un SMS. La réponse lui parvient presque instantanément.

— « Dans 5 minutes promis », lit Delphine.

— Vous lui avez envoyé un texto ? s'étonne Juliette. Mais elle est juste là, à une dizaine de mètres...

— Je sais, mais c'est le meilleur moyen de communiquer avec elle, observe-t-elle avec philosophie.

Au deuxième SMS de relance, Lola finit par se lever, et sa mère remonte avec elle dans la chambre.

À l'instar de Pierre, Delphine s'est enquise des possibilités de dîner au Mas, relançant la question de la table d'hôtes. De sa maison, Edgar a tout entendu, et dès que Juliette est seule, il vient lui en parler. Pourquoi se priver de revenus supplémentaires, d'une offre rendant le Mas plus attractif, et du plaisir d'organiser des dîners conviviaux ? Il y pensait depuis quelques jours déjà, et se déclare prêt à commencer dans les meilleurs délais. Certes, il n'est pas habitué à cuisiner pour de grandes tablées puisque du temps de sa grandeur, il y avait une cuisinière chez Emma, mais « quand on sait faire pour quatre, on sait faire pour huit », et il se réjouit par avance d'avoir l'occasion de faire plaisir à Lady M en dressant des tables garnies de la somptueuse vaisselle qui a suivi leur exode parisien.

— Ce sera beaucoup de travail, s'inquiète Juliette.

— Il n'y a que trois chambres d'hôtes, alors même si le Mas affiche complet et que tout le monde dîne ici, nous ne serons jamais très nombreux...

— Mais quand je serai partie, tu seras seul à tout gérer !

— Quand tu seras partie, ce sera la fin de l'été ; les touristes aussi seront rentrés chez eux ! Et si je me rends compte que c'est trop lourd, il sera toujours temps d'arrêter...

Edgar semble déterminé et il ne reste plus qu'à se réunir avec Emma afin de définir les modalités de cette nouvelle activité : le prix du repas, ainsi qu'une liste de menus susceptibles de plaire à tous et suffisamment variés pour que des convives résidant plusieurs jours au Mas ne mangent pas deux fois le même plat.

Plus enthousiaste que jamais, la Britannique est aussitôt sur le pied de guerre, et sa petite-fille, qui a encore en mémoire ses idées lors de l'élaboration du menu du petit déjeuner, s'empresse de la rappeler à l'ordre.

— Je te préviens, pas de caviar, d'agneau de lait aux girolles et autres suggestions ruineuses !

— Non, juste des produits régionaux… tente Emma.

— Certes, du local, sachant qu'on oublie le foie gras et qu'on ne boira pas de château margaux ! Il faut dégager des bénéfices, sinon ça n'a aucun sens !

Sa grand-mère peine à cacher sa déception, mais elle s'incline.

— Naturellement. Bon, où sont les livres de cuisine ?

— Il y en a quelques-uns à l'office, mais je m'en sers rarement, répond Edgar. Ils datent de votre belle-mère et je les consulte uniquement si je prépare un plat traditionnel. En fait, ça fait plusieurs années que j'achète les produits qui me tentent au marché, même si je n'ai aucune idée de ce que je vais en faire, et je cherche ensuite une recette sur Internet.

— Ah bon ? Mais comment faites-vous pour chercher si vous ne savez pas ce que vous cherchez ?

— C'est facile ; il suffit de taper le nom d'une viande par exemple, et le reste suit ; je vais vous montrer…

Il se lève, attrape l'iPad et s'assied à côté d'Emma. Il tape « recette canard », et laisse les propositions apparaître : canard laqué, canard à l'orange, canard aux figues, magret de canard… Il sélectionne différents liens, puis montre les recettes et photos à Emma qui ne cache pas son émerveillement.

— C'est magnifique ! À moi, maintenant !

Elle lui prend l'outil des mains, inscrit lentement « recette agneau », mais une fois les liens apparus, elle clique dessus en appuyant soit trop fort, soit à côté, et n'obtient aucun résultat.

— Ça ne marche plus !

— Si, réessayez, vous allez voir.

De nouveau, elle clique maladroitement sur l'écran, s'énerve car il ne se passe toujours rien, et alors qu'elle laisse tomber sa main sur l'iPad dans un mouvement de lassitude, son doigt effleure « Images ». Aussitôt s'affiche une série de photos représentant de l'agneau cuisiné sous toutes les formes possibles et imaginables.

— Mais où sont passées les recettes ? se désole-t-elle. C'est cassé ?

— Tu as cliqué au mauvais endroit ; on va recommencer au début, suggère Juliette.

— Non, inutile, tout cela n'est pas pour moi ! s'écrie-t-elle, vexée. Quel gâchis que je vive au XXIe siècle ! J'aurais bien échangé ma place avec quelqu'un du XIXe, mais aucun de vos génies des hautes technologies n'a encore trouvé le moyen de remonter le temps !

Sa petite-fille vient s'asseoir près d'elle, lui prend patiemment la main et guide son index de façon à faire apparaître les différentes recettes d'agneau.

— Eh bien voilà ! s'exclame Emma, comme si c'était elle qui faisait une démonstration. Tu vois, c'est tout simple en fait !

Edgar et Juliette échangent un regard tacite ; la mauvaise foi d'Emma est légendaire, et il est inutile de poursuivre le cours d'informatique, surtout qu'ils sont tous trois suffisamment gourmands pour que leur viennent à l'esprit de nombreuses idées de plats susceptibles d'être servis à leurs hôtes.

Lorsqu'ils achèvent leur séance de travail, ils ont concocté une dizaine de menus variés, fixé le prix du repas, et déterminé que la première table d'hôtes se tiendrait dès le lendemain soir ; ils répondront ainsi sans tarder à la demande de leurs hôtes, et dans la mesure où ces derniers ne sont que trois, cela constitue une mise en route confortable. Au moment de la répartition des tâches, Emma s'autoproclame dresseuse de table ; puis il est décidé que Juliette prendra en charge la pâtisserie, tandis que le reste du repas sera assuré par Edgar. Ces prévisions leur ayant fortement ouvert l'appétit, ils finissent la soirée en dînant à la bonne franquette dans la cuisine, profitant d'un moment à trois d'autant plus précieux qu'il risque de ne pas se reproduire de sitôt.

L'été est désormais bien installé ; le jardin fleuri est baigné de soleil dès les premières heures du jour, et à l'initiative d'Edgar, le petit déjeuner est servi sur la terrasse ombragée.

Le repas achevé, Pierre feuillette le journal avant de remonter s'isoler, tandis qu'Emma et Juliette traînent à table avec les Lefèvre.

— On va à la piscine ? demande Lola à sa mère.

— Lis d'abord une heure ; on ira ensuite.

— Non, il fait trop beau, allons-y maintenant et je lirai ce soir.

Un chœur d'éclats de rires vient ponctuer sa phrase.

Tous les convives sursautent et se retournent d'un même geste, cherchant en vain d'où viennent ces rires, semblables à ceux que l'on entend dans les sitcoms.

En guise d'explication, Delphine brandit le téléphone qu'elle vient de sortir de sa poche.

— Ce sont les rires enregistrés de la série télévisée préférée de ma fille ; c'est la seule forme de culture à laquelle elle soit réceptive, alors je m'adapte ! Et en l'occurrence, ça signifie : quelle bonne blague ! dit-elle en se tournant vers Lola. Comme si tu allais avoir envie de lire en rentrant ce soir !

L'intéressée soupire ostensiblement, puis quitte la table en traînant des pieds.

— Une heure, pas une minute de plus !

— C'est promis.

Les autres lui emboîtent le pas ; Pierre regagne sa chambre tandis que Juliette rejoint Edgar afin de s'atteler à la liste des courses nécessaires à la préparation des prochains dîners. De son côté, la maîtresse de maison va soigneusement inspecter ses armoires afin de choisir la vaisselle et le linge de table qui siéront le mieux à ce premier repas. Dès que la maison s'est vidée de ses occupants et qu'elle s'est assurée que l'écrivain travaille tranquillement à l'étage, Emma se glisse dans la cuisine, prépare un Thermos de café qu'elle pose sur un plateau avec le reste du pain et des croissants, et quitte la maison à pas de loup.

Une fois encore, Edgar et Juliette ont rempli le coffre de la Smart jusqu'au plafond, et ils la garent devant la maison, le temps de porter tous leurs achats dans la cuisine. Après avoir multiplié les allers et retours, ils rangent consciencieusement leurs courses, puis ils finissent par s'inquiéter du silence d'Emma, qui ne manque jamais de venir fourrer son nez partout quand ils rentrent les bras chargés de victuailles. Juliette part à sa recherche et la trouve allongée sur son lit, dans une de ses éternelles robes d'intérieur.

— Ça ne va pas, Granny ?

— Je viens d'appeler Adèle, j'ai une affreuse douleur à l'épaule et dans tout le bras droit, et des courbatures dans les jambes… Il n'y a que lui qui pourra me sauver…

— C'est bizarre, commente Juliette, tu as porté quelque chose hier ? Fait quelque chose d'inhabituel ?

— Non, une simple balade, ment Emma qui sent la douleur s'accentuer à la simple idée du périple qu'elle a effectué. En plus, je crois que j'ai de la fièvre…

Juliette pose la main sur son front, puis arrange machinalement les plis de sa robe qu'elle dispose joliment en corolle autour d'elle. Tandis qu'elle la regarde faire, Emma reprend peu à peu son air de gamine espiègle.

— Tu es gentille de faire ma toilette funèbre, mais je ne suis pas encore morte !

Sitôt dit, elle croise ses mains sur sa poitrine et mime l'expression impassible d'un défunt. C'est une vision d'autant plus saisissante que dans ce contexte, le lit encadré de noyer n'a jamais autant ressemblé à un cercueil, et Juliette se fige, horrifiée. Sa grand-mère ouvre alors les yeux et lui fait un clin d'œil, auquel Juliette répond par un signe de croix accompagné d'un sourire éploré. Toutes deux éclatent d'un rire qu'Emma interrompt bien vite pour pousser un petit gémissement.

Edgar vient de les rejoindre et de l'entrée de la chambre, il l'observe d'un air soucieux.

— Ça vous a pris d'un coup ?

— Oui… C'est peut-être une montée de stress causée par l'ouverture de notre table d'hôtes. Ou tout simplement un *burn-out*.

— Tu as inventé un *burn-out* d'un genre nouveau, la taquine sa petite-fille, la crise d'épuisement en ayant à peine levé le petit doigt !

— Un peu comme toi avant de commencer ta soutenance, réplique Emma, vexée.

— Bien vu ! reconnaît Juliette.

— Pardon ma chérie, je suis vraiment méchante ! Mais tu sais que je ne gère pas la fièvre... Je n'ai vraiment pas de chance ; si je ne peux pas être parmi vous ce soir, je mets fin à mes jours.

— Moi aussi ! promet Juliette avec philosophie.

— *Me too !* enchaîne gaiement Edgar.

— Oh mon Dieu ! s'exclame Emma. Mais c'est impossible, on ne pourrait pas venir à nos obsèques mutuelles !

— C'est vrai, Lady M, nous n'aurions plus qu'à nous funérailler nous-mêmes, si je puis m'exprimer ainsi.

— C'est une solution très insatisfaisante, je vais m'efforcer d'aller mieux, conclut Emma.

Il semble qu'une fois de plus, Abdel ait fait des miracles, car à l'heure du dîner, Emma se déclare « résurrectionnée », et prête à prendre place avec les autres convives, surtout qu'ils ne seront que cinq à table, une broutille comparé aux banquets de cinquante personnes qu'elle a autrefois animés.

L'argenterie brille de mille feux qu'accentuent les flammes des chandelles, le service en porcelaine décoré de roses délicates et de lierre est du plus bel effet, et les parfums émanant de la cuisine laissent présager un succulent repas.

Les Lefèvre se sont apprêtées avec soin, marquant ainsi un bon point auprès de la Britannique, qui considère la coquetterie comme une qualité essentielle, et Pierre s'est également changé pour l'occasion. Juliette a eu l'impression de faire un effort immense en troquant ses baskets pour des sandales à talons, mais elle a omis de se maquiller, ce qui lui a valu un petit tête-à-tête au cours duquel sa grand-mère a cru bon de lui rappeler le véritable sens de la vie.

Autour de la table, les conversations vont bon train, et au grand dam de Lola, elles dévient sur sa scolarité. Au début de l'année, alors qu'elle était inscrite dans la classe européenne de son lycée, elle a appris que cette section impliquait un certain nombre d'heures de cours en plus, et souhaitant y échapper, elle ne s'est pas présentée à l'examen censé valider son niveau d'anglais.

— Bravo ! s'exclame Juliette. Moi, je n'aurais jamais réussi à convaincre mon père de ne pas passer le test...

— Je n'ai pas essayé de convaincre mes parents, sourit Lola, je l'ai juste jouée en mode furtif !

— En quoi ? demande Emma qui n'a rien compris.

— En mode discret, sans prévenir personne, j'ai séché quoi !

— Vous avez dû être furieuse ! dit Pierre à Delphine.

— Vous n'imaginez pas, surtout qu'il n'y a pas eu moyen de passer le test une deuxième fois ! Mais je tiens ma vengeance... J'ai découvert qu'il y a une association européenne dans son lycée et je l'y ai inscrite pour la rentrée prochaine, histoire de lui faire regretter les heures de cours d'anglais dont elle s'est dispensée...

— C'est une association sportive ?

— Non, pour la mémoire des déportés et des résistants d'Europe. Leur groupe junior est extrêmement dynamique…

Lola fait un clin d'œil à Juliette, tout en faisant mine de se tirer une balle dans la tête.

— Ils font quoi, comme activités ?

— Plein de choses formidables ! répond sa mère. Ils ont rédigé une étude sur les communautés et les groupes oubliés de l'histoire, ils participent à des activités culturelles…

— Des sorties vraiment fun ! l'interrompt sa fille. D'ailleurs, je suis sûre que vous serez trop jaloux en apprenant que ces petits veinards ont assisté à une opérette qui s'appelle *Le Verfügbar aux enfers* !

— Affreusement ! s'esclaffe Emma. On pourra peut-être se rattraper l'année prochaine ?

— Bien sûr ! Dès qu'il y a une commémoration quelque part, ils déposent une gerbe, je vous inviterai si vous voulez… Pareil pour le voyage à Auschwitz en novembre, je suis sûre qu'en s'y prenant assez tôt, il restera des places !

— Ne fais pas la tête, mon ange ! intervient sa mère. Tu essayes et si ça ne te plaît pas, tu ne seras pas obligée d'y aller toute l'année. Mais je suis sûre que tu t'y feras plein d'amis…

Un éclat de rires enregistré ponctue cette promesse. Surprise, Delphine lève les mains en signe d'innocence, et c'est Lola qui brandit son propre téléphone d'un air moqueur.

— Moi aussi, je suis capable d'enregistrer des rires ! Et de m'en servir quand tu dis des trucs aberrants…

Devenus complices de ce jeu, Emma, Juliette et Pierre s'amusent à leur tour à appuyer sur la touche provoquant les éclats de rire enregistrés, et ce fil rouge improvisé fait de leur premier dîner commun une soirée particulièrement joyeuse. Au moment du dessert, c'est d'un même élan que tous les convives proposent à Edgar de s'asseoir afin de le partager avec eux, ce qu'il accepte sans se poser de questions. De la même manière, Juliette suit son instinct lorsqu'il lui suggère d'aller chercher une bouteille de champagne, s'interdisant pour la première fois d'avoir pour unique préoccupation la réduction des dépenses de sa grand-mère.

Un digestif a succédé à la bouteille de champagne, et quelque peu assommés par cette soirée bien arrosée, les occupants du Mas font la grasse matinée. Lorsque Juliette descend à la cuisine, elle y trouve Edgar qui potasse les recettes du prochain dîner en attendant de commencer le service du petit déjeuner, et elle lui propose de venir prendre un café avec elle sur la terrasse. Delphine est la première à les rejoindre, affichant un air tracassé qui la fait soudain ressembler étrangement à Sophie Fresnet le jour où elle a été contrainte d'avouer publiquement la disparition de la manette de douche.

— Il y a un petit souci dans la chambre… Une invasion de fourmis…

Edgar se lève d'un bond.

— Je vais de ce pas convoquer un exterminateur !

Devant l'enthousiasme avec lequel l'ancien maître d'hôtel s'est mis au garde-à-vous, Juliette ne peut réprimer un soupir de lassitude. Décidément, personne ne change jamais, déplore-t-elle en son for intérieur. Et elle est heureuse de voir arriver Lola, qui vient se planter devant eux, un large sourire bagué aux lèvres, et dont l'attitude nonchalante offre un joli contrepoids à la posture guindée d'Edgar.

— Le truc, c'est que le jour où on est arrivées, j'avais un gâteau au chocolat dans un sac et je l'ai oublié sur la commode... Et maintenant, il y a 10 000 fourmis qui défilent sur le mur en mode militaire... C'est relou !

— Trop relou ! Est-ce qu'elle peut vous aider à régler le truc en mode solidaire ? demande Delphine, qui prend visiblement un malin plaisir à parodier les tics de langage de sa fille.

Piquée au vif, l'adolescente se redresse et adopte un ton radicalement différent.

— Je suis désolée, c'est entièrement ma faute. Dites-moi quel produit il faut utiliser, j'en achèterai et je nettoierai moi-même.

L'expression de Delphine change à l'unisson de celle de sa fille, passant de l'ironie désabusée à une fierté non dissimulable.

Mais Edgar ne l'entend pas de cette oreille, et malgré les protestations de Delphine qui se réjouissait de voir sa fille assumer ses responsabilités, il ne cède pas : hors de question de laisser qui que ce soit se charger du problème à sa place. Les fourmis et lui, c'est une longue histoire – il faut dire qu'il a été mis à rude épreuve avec Emma qui semble avoir des yeux bioniques quand il s'agit de les repérer. Après avoir essayé tout ce qui était disponible sur le marché, il a jeté son dévolu sur un produit qui dégage une odeur si pestilentielle qu'il prend soin d'entourer son visage d'une serviette lorsqu'il effectue une opération commando. Et dès que les occupantes de la chambre Nature seront parties à la piscine, il se fera une joie d'aller chercher son aérosol préféré afin d'en pulvériser la colonie de fourmis avec tout le zèle dont il est capable.

Pierre descend à son tour ; il n'est pas du tout satisfait de ce qu'il a écrit la veille et ne s'attarde guère à table, pressé de retourner travailler. Alors qu'il s'apprête à remonter, il demande à Juliette si elle est disponible pour une nouvelle séance de travail en sa compagnie. La jeune femme espérait qu'il la solliciterait à nouveau ; elle apprécie infiniment les heures passées à observer la façon dont le travail de l'écrivain prend forme, ainsi que les bavardages auxquels ils se livrent lorsqu'ils font une pause, et elle accepte volontiers.

En quelques minutes, la table se vide de ses occupants. Edgar la débarrasse et dispose avec soin les victuailles autour du couvert d'Emma, puis il s'empresse de filer à son tour, car une petite inspection des produits d'entretien lui a permis de constater que l'aérosol contenant son exterminateur préféré était presque vide. Comment a-t-il pu se laisser aller à ce point ? C'est une grave défaillance et il n'est pas sûr de parvenir à se la pardonner un jour. Pour l'heure, il faut y remédier, et s'installant au volant de sa voiture, le coupable remet à plus tard une séance d'auto-flagellation dont il a le secret.

Lorsque la Britannique se lève enfin, la maison est silencieuse. Seule la voiture de Pierre est garée sur l'aire de parking, et au son des voix qui lui parviennent par la fenêtre ouverte de sa chambre, elle devine que Juliette est de nouveau en train de travailler à ses côtés.

Avant même de prendre une tasse de thé, elle se rend dans la cuisine et prépare comme la veille un plateau avec un Thermos de café, du pain et des viennoiseries, qu'elle va déposer dans son garage.

Une fois de retour dans la maison, Emma savoure un copieux petit déjeuner sur la terrasse, puis s'offre une promenade dans le jardin en prenant le temps d'admirer longuement ses massifs de fleurs et ses précieux cèdres.

Par malheur, le téléphone sonne, interrompant sa rêverie de promeneuse solitaire. Elle attend quelques secondes, espérant que quelqu'un va répondre, mais en l'occurrence, « quelqu'un » travaille avec Pierre et n'a visiblement pas l'intention de s'interrompre. Il faudrait qu'elle y aille, il s'agit sûrement de clients potentiels. Mais un moment si parfait mérite-t-il d'être gâché pour l'appât du gain ? Non. Assez de compromissions ; « ils rappelleront », conclut-elle résolument.

Emma reprend sa promenade ; selon son habitude, elle a gardé le meilleur pour la fin, à savoir la contemplation de son figuier, un arbre dont elle observe la croissance depuis des années, avec un attendrissement et une reconnaissance proportionnels au nombre de fruits qu'il produit. Chaque jour, Edgar cueille pour elle les figues arrivées à maturité et en garnit un bol qu'il dépose sur sa coiffeuse ou sa table de nuit, parfois même dans son dressing, s'amusant à varier les endroits où il les place dans le seul but de renouveler l'effet de surprise pour sa Lady M. Apercevant un fruit bien dodu qui a échappé à sa vigilance, Emma hésite. Il est tout près du tronc, et il faudra se frayer un passage parmi les branches pour l'atteindre, ce qui risque d'être un peu délicat. En même temps, cette figue est tout simplement sublime ; si un photographe passait dans le coin, il ferait aussitôt son portrait pour la vendre à un fabricant de confiture, et on ne peut pas lui faire l'affront de la laisser moisir sans avoir pris la peine de déguster sa chair tendre et sucrée. Emma s'approche, écarte délicatement les branches qui sont sur sa route jusqu'à ce que le fruit défendu soit à sa portée. Elle tend le bras, lâchant une branche qui vient lui assener un petit coup de fouet fort désagréable au visage, et décroche avec délectation l'objet de sa convoitise.

Le téléphone sonne à nouveau. « Quelqu'un » ne répond toujours pas et cette fois, il va bien falloir qu'elle y aille. Elle épluche rapidement la figue et l'engloutit avec une gloutonnerie peu aristocratique, puis s'extirpe de l'arbre bien moins prudemment qu'elle ne s'y est faufilée, provoquant au passage un certain chaos dans sa superbe mise en plis. Enfin, elle regagne à regret la maison, en pestant contre ce monde qui oblige à répondre à ceux qui vous sonnent. La sonnerie se prolonge, une intonation stridente qu'elle trouve plus détestable que jamais, mais elle accélère à peine – pas question de faire un faux pas et de risquer de se coincer une vertèbre alors qu'elle est tout juste remise de son *burn-out*. Enfin, elle regagne la cuisine, décroche le combiné à l'aide de ses deux seuls doigts à ne pas être couverts de jus de figue, et prononce son « Allô ? » le plus distingué.

— Ah, enfin ! s'impatiente une voix de femme. Je suis bien au Mas de Casteljaloux ?

Les affaires reprennent. Hélas.

— Oui.

— J'aimerais savoir si la chambre familiale est disponible à partir de mercredi prochain ?

Panique. Encore la familiale. C'est fou ce que les gens qui ont des enfants peuvent être nombreux.

— Euh... vous avez combien d'enfants ?

— Deux. Et demi.

— Pardon ?

— J'ai un garçon et une fille de six et quatre ans. Et aussi un bébé de six mois, mais nous voyageons avec un lit parapluie, donc vous n'avez pas besoin de vous en soucier. J'ai regardé les photos de la chambre sur votre site, elle a l'air très spacieuse, alors je sais qu'il y aura largement la place d'ajouter le lit du bébé.

— Je vois... répond Emma qui visualise aussitôt traces de doigts sur ses meubles en bois laqué, ballons de foot traversant le salon à la vitesse d'un météore, et taches de vomi sur son magnifique tissu Laura Ashley.

— Elle est disponible ? insiste la femme, qui finit par trouver suspect le silence qui se prolonge.

— Ce n'est pas moi qui gère les réservations, je peux prendre votre numéro afin qu'on vous rappelle un peu plus tard ?

— Oui, mais n'attendez pas trop, je suis en train de boucler mon voyage... J'oubliais, vous avez du wifi ?

De mieux en mieux, se lamente Emma : mère de famille nombreuse et wifi-phile. Mieux vaut ne pas trop l'encourager.

— Seulement le mardi, répond-elle.

— Quoi ?

— Oui, les autres jours, on le laisse aux voisins.

— Vous… le laissez ? Mais comment ça ?

— On fait du troc, ça se fait entre voisins ! Ils prennent le wifi et en échange, ils nous donnent… un peu du cannabis qu'ils cultivent dans leur jardin…

Pas le temps de poursuivre, l'inconnue a raccroché.

Emma commence par savourer son triomphe ; de mémoire, elle ne s'était jamais débarrassée de qui que ce soit aussi facilement… Cependant, au fil des minutes, elle commence à culpabiliser.

Si Juliette et Edgar apprenaient avec quelle légèreté elle a traité des clients potentiels, quelques jours seulement après l'ouverture du Mas, ils seraient furieux. Et ils auraient raison, compte tenu du mal qu'ils se donnent pour que leur activité démarre le mieux possible.

Enfin, aucun risque qu'ils soient informés de cet échange ; la cliente ne risque pas de rappeler sachant que la propriétaire des lieux consomme du cannabis troqué contre du wifi…

Mais qu'est-ce qui lui a pris d'inventer une énormité pareille, et de la livrer en toute imprudence à une étrangère ? À maintes reprises, elle a entendu Edgar et Juliette évoquer l'importance des commentaires laissés par les clients sur les sites touristiques ; quelles seraient les conséquences si l'inconnue y relatait leur conversation ?

*Damn it !* Elle a fait n'importe quoi… D'autant plus que la cliente a une autre option : prévenir les autorités que la propriétaire d'un établissement prétendument familial se vante de consommer de la drogue… Sentant l'affolement la gagner, elle tente bravement de rationaliser : même si un bataillon de gendarmes débarquait, elle leur offrirait une bonne tasse de l'Afternoon Darjeeling de chez Taylors of Harrogate, et face à la digne grand-mère qu'elle est capable d'incarner lorsque les circonstances l'imposent, ils se laisseraient probablement convaincre qu'il s'agissait d'une plaisanterie. En tout cas, il faudrait qu'elle se débarrasse d'eux rapidement et évite à tout prix qu'ils ne fouillent dans sa vie, ou pire, dans sa maison.

Mais que se passerait-il si les policiers allaient ensuite faire un tour chez les voisins et découvraient qu'ils cultivent autre chose que des fraises et des orties ? Car leur innocence reste à prouver !

Emma a de plus en plus de mal à garder son calme ; elle a soudain très chaud et se demande s'il ne s'agit pas des prémices d'une crise de panique – il faudra demander à Juliette, c'est elle la spécialiste du malaise. En attendant, elle-même est la reine de l'automédication, et elle va se prescrire un bon petit traitement pour lutter contre les montées de stress. Avant toute chose, laver ses mains poisseuses, puis elle ira consulter son dictionnaire homéopathique.

Au moment où elle s'empare du lourd volume, le téléphone sonne de nouveau – pas moyen d'être tranquille –, c'est probablement la cliente qui rappelle, il faut qu'elle se ressaisisse et tente de se racheter.

— Bonjour, ici le Mas de Casteljaloux, annonce-t-elle de sa voix la plus suave.

— Euh... Vous pouvez répéter ? demande une voix d'homme mal assurée.

Machinalement, Emma répète la formule que lui ont fait apprendre Juliette et Edgar.

— Ici le Mas de Casteljaloux, maison d'hôtes de charme, articule-t-elle péniblement.

Pas de réponse. Et si la personne au bout du fil était le directeur de la Police judiciaire ?

— Ah ! Je... donc... Une... maison d'hôtes... de charme...

Intérieurement, Emma fulmine. Elle déteste ajouter les termes « de charme » à l'appellation de son établissement ; « Ça fait film érotique de série B », a-t-elle objecté lorsque la question a été évoquée. Naturellement, ses deux acolytes ne l'ont pas écoutée, et la voilà obligée de répéter des formules qu'elle-même trouve inappropriées ; c'est bien la dernière fois qu'elle leur obéit !

En attendant, l'inconnu a fini de bafouiller et il s'est tu, semblant tout à fait déstabilisé par cette information somme toute assez banale. Pourvu qu'il s'agisse d'un simple policier et pas du grand patron de la PJ, sinon les caïds du grand banditisme sont assurés de prospérer pendant un bon moment.

Enfin, il se décide à reprendre la parole.

— Ça fait longtemps... les... chambres d'hôtes ?

— Non, nous venons d'ouvrir... Mais nous sommes tout à fait à jour avec les papiers, les autorisations locales et les licences pour boire du thé...

— Des chambres d'hôtes... répète-t-il bêtement.

— Oui, un établissement familial... poursuit-elle, ne sachant comment interpréter l'état d'incrédulité dont son interlocuteur peine à sortir.

J'adore les enfants, si petits, si jolis, si délicieux... Vous avez des enfants ?

— Euh, non.

— Ce n'est pas grave, j'adore les gens qui n'ont pas d'enfants aussi ! Mais dites-moi, vous avez l'air très étonné ; c'est bien nous que vous vouliez joindre ?

— Euh... Oui, oui, bien sûr. J'aimerais... faire une réservation... C'est possible ?

Allons bon, ils n'y vont pas de main morte à la PJ, voilà maintenant qu'il va carrément se faire passer pour un client !

— Bien entendu !

— Quand avez-vous de la place ?

— Tout le temps ! Enfin, ça dépend, mais avec les gens sympathiques, on s'arrange toujours !

De nouveau, le silence à l'autre bout du fil. Elle en a trop fait, surtout avec sa tirade sur les enfants, il va refiler le dossier à la brigade des mœurs.

— Demain, ça irait ?

— Parfaitement ! Pour combien de nuits ?

— Je ne sais pas, je suis obligé de vous le dire tout de suite ?

— Mais pas du tout ! Chez nous, en Grande-Bretagne, on dit *we'll play it by ear*, ça signifie on le jouera à l'oreille, ou si vous préférez, on improvisera ! La maison est ouverte, mon cher monsieur, vous resterez le temps qui vous plaira. Si vous avez besoin d'indications pour venir, tout est sur notre site, je ne sais pas comment il s'appelle, mais les wifi-philes savent trouver ces choses-là ; sinon, je peux demander à ma petite-fille...

— Non, c'est inutile, je connais... la région, je trouverai sans problème.

— Parfait, alors à demain !

L'inconnu raccroche et Emma pousse un profond soupir de soulagement. Elle s'en est bien tirée. Après tout, il n'est peut-être pas de la police ; en tout cas, il a l'air tout à fait inoffensif, et elle a réussi à aller au bout de la conversation en jouant la carte de la mamie britannique plutôt que celle de la junkie colombienne ; un exploit.

Tiens, elle va noter elle-même la réservation sur le carnet ; par bonheur il est juste là, posé sur le buffet de la cuisine. Elle l'ouvre à la page de la semaine… et réalise qu'elle a oublié de demander son nom au client. Bon, elle va l'inscrire sous le nom de « M. ? » ; ce n'est pas très pro, mais ça fera l'affaire en attendant. Elle va probablement se faire houspiller par Juliette, qui lui a répété au moins dix fois de demander un nom et un numéro de téléphone si elle était amenée à prendre une réservation, mais tant pis… Pas le temps de culpabiliser, car le téléphone recommence à sonner. Décidément, c'est un véritable standard ! À moins que ce ne soit le gentil monsieur qui rappelle pour donner ses coordonnées ?

— Le Mas de Casteljaloux, bonjour !

— Bonjour madame, auriez-vous de la disponibilité pour deux nuits à partir de demain ? soupire une femme en réprimant un sanglot. N'importe quelle chambre fera l'affaire, mon mari et moi devons nous rendre à un enterrement qui aura lieu dans votre région ; ce n'était pas prévu… Vous savez ce que c'est, même en cas de longue maladie, on ne veut jamais y croire…

— Ma pauvre ! se désole Emma. Ne vous inquiétez pas, on va vous trouver quelque chose…

Elle se penche sur le carnet : pour les deux jours à venir, le nom de Pierre est inscrit dans la case réservée à la chambre prune, et celui de Delphine dans celle de la chambre Nature, mais il reste la familiale.

— Oui, voilà ; nous avons exactement ce qu'il vous faut ; vous allez dormir dans un lit en cuivre très réconfortant ; il y avait le même chez ma grand-mère, une pure merveille ! D'ailleurs, je vous garantis que je n'ai jamais fait de cauchemar quand je dormais chez elle. Il est recouvert d'un tissu avec des bouquets de roses, dans des teintes de jaune et orange – tellement doux et cosy ! Et puis ça vous changera des couronnes mortuaires.

— Comme vous voudrez, murmure la voix éplorée.

— Vous êtes madame ?

— Savora, comme la moutarde.

Emma prend son numéro de téléphone, note avec soin ses coordonnées dans la petite case réservée à la chambre familiale pour les deux nuits suivantes, et raccroche en se disant que cette conversation d'ordre professionnel – la première de toute sa vie – s'est plutôt très bien déroulée.

Après tous ces efforts, elle estime qu'elle a bien mérité une petite sieste récupératrice et prend le chemin de sa chambre bleue avec la satisf action que lui confère le sentiment du devoir accompli.

En fin d'après-midi, lorsqu'elle réapparaît, Emma est reposée, pomponnée, et sa mise en plis est prête à résister à une tornade. Elle se dirige d'un pas assuré vers la cuisine, d'où émanent les alléchants parfums du plat qui mijote.

— Edgar, vous allez être fier de moi ; je n'ai pas chômé durant votre absence ! J'ai pris deux réservations : la première, celle d'un couple qui débarque demain à cause d'un enterrement. Une dame très gentille, Mme Amora, comme la moutarde. Ils m'ont l'air très déprimés mais ne vous inquiétez pas, ils ne restent que deux nuits ! J'ai pris leur numéro et je les ai mis dans la familiale, tout est dans le carnet, précise-t-elle d'un air blasé.

— Bravo, Lady M !

— Pour la seconde, c'est un jeune homme charmant, probablement un peu fragile psychologiquement, mais tout à fait inoffensif. Bon, j'ai oublié de noter son nom, mais il sera toujours temps de le lui demander quand il arrivera.

— Il vient tout seul ?

— ... Il ne m'a pas dit. On verra bien combien ils seront à descendre de voiture ! En tout cas, une ou deux personnes, ça ne change rien, n'est-ce pas ?

— Sauf s'il prend la table d'hôtes. Enfin, on avisera. Quand arrive-t-il ?

— Demain aussi, annonce-t-elle avec fierté.

— Demain ? Mais où allons-nous le mettre ? Vous avez attribué la dernière chambre aux Amora !

Aïe... Emma baisse la tête ; ce léger détail lui a en effet échappé.

— Je suis confuse, comment ai-je pu faire une bêtise pareille...

— Il reste combien de nuits ?

— Il ne savait pas et je n'ai pas voulu insister... Il ne faut pas m'en vouloir, c'était ma première réservation, plaide-t-elle, se gardant bien de mentionner la façon dont s'est terminé le premier appel qu'elle a traité.

— Vous avez pris son numéro de téléphone ? demande Edgar en feuilletant frénétiquement le carnet.

— Non, mais je l'aurais fait si je lui avais demandé son nom ! proteste la coupable avec véhémence.

— Mais comment va-t-on faire ?

— Pas de panique, nous le mettrons dans la chambre de Gabriel. Je vais demander à Juliette si on peut installer provisoirement l'imprimante et les affaires du bureau dans sa chambre. D'ailleurs où est-elle ?

— Partie à l'aéroport. Chercher Gabriel.

Emma reste un instant interdite, avant de faire appel à tout son flegme britannique pour montrer qu'en dépit des apparences, elle maîtrise la situation.

— En somme, vous êtes en train de me dire que nous sommes vendredi ?

Trop accablé pour répondre, Edgar se contente d'acquiescer.

— On perd complètement la notion du temps ici, c'est fou... En même temps, c'est aussi ce que j'aime dans cette maison... Vous savez quoi ? On s'arrangera, on s'arrange toujours ! Tenez, je vais aller dresser une jolie table pour faire honneur à Gabriel... et aussi pour me faire pardonner. On va passer une excellente soirée, et je vous promets que je trouverai une solution pour le gentil monsieur.

Edgar la suit des yeux tandis qu'elle se dirige vers la salle à manger, et à travers la porte restée ouverte, il l'entend chantonner en choisissant avec amour la nappe et la vaisselle qui orneront sa table. Sa légèreté a toujours été communicative, et tandis qu'il se remet à ses fourneaux, il ne peut s'empêcher de penser qu'en effet, ça s'arrangera. Certes, les derniers événements ont fait mentir sa Lady M, mais d'une certaine manière, le parfum d'insouciance qui continue à l'envelopper permet d'y croire.

Allongé sur le canapé en velours grège du boudoir de sa mère, Gabriel bavarde avec elle tandis qu'elle se démaquille. Tout juste débarqué de Hong-Kong, il a pris à Paris une correspondance pour Bordeaux afin de venir passer le week-end en famille. Pour lui, la journée a commencé une trentaine d'heures plus tôt et il est exténué, mais il a néanmoins tenu à s'accorder ce moment privilégié. Gabriel a toujours aimé ces tête-à-tête au cours desquels ils échangeaient des confidences au sortir d'un dîner, et il les affectionne d'autant plus qu'ils constituent désormais l'un des rares moments de détente qu'il s'octroie.

À la plus grande joie d'Emma, son fils ne s'est pas fait prier *pour* dire combien il était impressionné par l'aisance avec laquelle le trio gère la maison d'hôtes, accueillant et servant les clients avec l'ardeur d'abeilles bien rodées. Il a beaucoup apprécié Pierre, Delphine et Lola, et salue l'esprit d'initiative de sa mère qu'il n'aurait pas crue capable de se plier aux contraintes occasionnées par l'ouverture de sa maison à des étrangers.

— Tu n'as pas trop chaud, mon chéri ? s'inquiète-t-elle, en l'observant dans le reflet du miroir.

— Au contraire, j'ai un peu froid.

— Tu dois être dé-métabolisé, ça m'arrivait quand je faisais de longs vols.

Le téléphone de Gabriel sonne ; ignorant le regard désapprobateur de sa mère, il décroche et se lance aussitôt dans une obscure conversation professionnelle jalonnée de termes tels que *dark pools, tracker, spread, business angel*...

— Je ne comprends décidément rien quand tu parles ! lui dit-elle quand il raccroche. Je devrais pourtant, la moitié des mots est en anglais !

— Je te donnerai un cours si tu veux, mais pas maintenant, soupire-t-il. Je vais me coucher ; j'ai rendez-vous avec un client demain matin à Bordeaux. Tu veux que je t'emmène ?

— Pourquoi pas ? On pourra peut-être passer dans cet endroit merveilleux qui vend des sablés aux noisettes ?

— Et ton taux de glucose, il en est où ? demande Gabriel en se levant.

— Au niveau du krach de 1929, je t'expliquerai quand tu te seras reposé.

À travers la fenêtre ouverte leur parviennent des échos de la chanson qu'écoutent les voisins.

— S'ils t'empêchent de dormir avec leur musique, je t'autorise à...

— Rien ne m'empêchera de dormir, lui dit-il en l'embrassant.

Anticipant une nuit agitée, Emma le regarde s'éloigner avec envie, mais à peine couchée, elle sombre dans un profond sommeil, et même le *Live at Woodstock* que Magali et Jean-Claude écoutent en boucle ne parvient pas à la sortir de sa torpeur.

— Vous savez ce que c'est, les iPhones…

— Non, justement, je ne sais pas… répond sèchement Emma.

La cinquantaine dynamique, petite et menue, Patricia Savora n'a pas attendu d'être dans sa chambre pour mettre son téléphone en charge ; à peine arrivée au Mas, elle a fait claquer ses talons hauts sur le carrelage en grès pour se précipiter sur une prise murale du salon, et fixe maintenant la petite icône indiquant que la batterie se recharge avec autant d'intensité que s'il s'agissait d'une perfusion administrée à un grand blessé. Pour la maîtresse des lieux, il n'y a pas pire entrée en matière, et toute l'empathie que suscitait en elle le couple endeuillé s'évanouit en un instant. De plus, elle vient de rentrer de Bordeaux avec Gabriel, qui s'est aussitôt enfermé dans sa chambre pour travailler, et elle est d'autant moins encline à la patience qu'elle a elle-même des impératifs qui l'attendent, tels que la dégustation de sablés à la noisette tout juste sortis du four. Elle reste un instant médusée par le spectacle qu'offre cette femme ayant perdu toute dignité pour s'agenouiller au niveau de la prise électrique, puis abandonne cette scène affligeante pour chercher du réconfort dans le portrait de Tamara de Lempicka accroché juste au-dessus de la nouvelle venue. L'artiste semble la toiser avec un mépris parfaitement adapté à la circonstance, et Emma sourit à son amie éternelle. Elle tente un repli stratégique, mais malheureusement, le très affable Frédéric Savora parle sans discontinuer. Oui, Patricia est un peu accro, concède-t-il tandis que son épouse guette le moment où le cœur de son téléphone battra de nouveau, mais elle a de grosses responsabilités et doit absolument prendre connaissance de ses messages. Directrice de la communication d'une compagnie pétrolière américaine, elle a beaucoup à gérer, y compris en vacances, car une de « ses » plates-formes est en train de brûler dans le golfe du Mexique, et elle a toutes les associations écologistes mondiales sur le dos.

Et l'oncle Charles qui choisit pile-poil ce moment pour mourir... Franchement, on n'est pas aidés !

Bien que personne ne lui ait rien demandé, Frédéric Savora poursuit en offrant une vue d'ensemble de son CV, mentionnant les hautes fonctions qu'il a occupées avec une décontraction affectée qui ne leurre personne. Enfin, tout en feignant d'admirer un vase Gallé, il précise que, spécialiste mondialement reconnu en macroéconomie, il occupe désormais un poste stratégique à la Banque Européenne d'Investissements.

— C'est formidable, vous parlerez de ça avec mon fils, bâille Emma.

Convaincue qu'il n'y aura rien à tirer de ces individus, elle se tait et laisse sa petite-fille lui faire la conversation. En l'occurrence, cela consiste surtout à l'écouter débiter des lieux communs visant à dédouaner sa femme, qui les ignore totalement et semble avoir décidé de passer le reste de sa vie à quatre pattes. « Ils se rendent pas compte du boulot qu'on fait », dit-il d'un ton éploré, avant de rappeler que : « Les trente-cinq heures, c'est pour ceux qui bossaient déjà pas avant. » Juliette approuve d'un « Mmmm » qui manque de conviction, aussi se penche-t-il vers Emma pour lui confier que : « Déléguer, c'est la base du management », et voyant que cette réflexion la laisse de marbre, il enchaîne avec un timide : « En ce moment, c'est pas évident », qui ne lui attire aucun propos compassionnel. Heureusement pour tous, Patricia pousse alors un cri de victoire qui marque la fin de l'épreuve.

— On dirait que le petit camarade de votre épouse est sorti du coma, quel soulagement ! ironise Emma.

Sans prendre le temps de se relever, Patricia Savora colle son téléphone sur son oreille, et ponctue ses messages de moult soupirs et expressions exaspérées. Lorsqu'elle a fini, les deux époux se déclarent enfin prêts à prendre possession de leur chambre, et Edgar les y accompagne. Quelques minutes plus tard, lorsqu'il vient rejoindre les deux femmes qui l'attendent dans la cuisine, il affiche une mine presque aussi dépitée que sa Lady M.

— Quel drôle de type, chuchote Emma, c'est ahurissant qu'un homme qui passe son temps à aligner des banalités ait des responsabilités pareilles ! Quant à elle, quel manque de tenue pour son âge...

— En plus, ils ont réservé la table d'hôtes, commente sobrement le maître d'hôtel.

— Ça veut dire qu'on est neuf à dîner, conclut Juliette après avoir compté sur ses doigts. C'est beaucoup, je vais t'aider… Qu'est-ce qu'on fait à manger ?

— J'ai de quoi faire des verrines pour l'entrée, mais pour le plat, je ne sais pas…

— Et si Juliette faisait son canard à l'orange ? J'en ai rêvé cette nuit…

— Granny, je l'ai fait au moins dix fois pour les amis d'Hervé, rien qu'à la vue d'un canard, j'ai envie de devenir végétarienne…

— Et si on commandait des côtes de bœuf ? Il faudra juste que quelqu'un fasse une béarnaise…

— Ça dépend, le « quelqu'un », c'est moi ou Edgar ? Parce que moi, je suis nulle en sauces…

Par la fenêtre grande ouverte, ils aperçoivent alors une voiture inconnue qui s'engage dans l'allée.

— On attend quelqu'un ?

— Pas à ma connaissance, répond Emma.

— C'est une voiture de location, il s'agit probablement de votre client anonyme, suggère Edgar.

— Quel client anonyme ? s'étonne Juliette.

— Lady M a pris une réservation, mais elle a oublié de demander son nom au monsieur…

— J'étais un peu troublée, j'ai cru que c'était un policier qui me faisait une blague…

— Un policier ? s'étonnent en chœur Edgar et Juliette.

Mince, elle a gaffé. Vite, changer de sujet.

— Regarde chérie, dit-elle d'un ton enjoué, on dirait que l'inconnu est tout seul ! C'est peut-être un futur fiancé pour toi…

La voiture se gare et en effet, une silhouette masculine s'en extrait. Un jeune homme dont on distingue les cheveux bouclés reste debout, contemplant la maison d'un air inquiet, comme s'il hésitait à entrer.

— J'en doute, dit Juliette d'une voix blanche, ton client anonyme… c'est Hervé !

Edgar va accueillir le nouveau venu, mais une fois que les deux jeunes gens se retrouvent face à face dans l'entrée, ils restent silencieux et le maître d'hôtel semble aussi embarrassé qu'eux. Juliette se sent si mal qu'elle craint d'offrir un petit bis de sa scène d'évanouissement en public ; par mesure de précaution, elle décide donc de s'asseoir par terre, plongeant son entourage dans une certaine perplexité. Quant à Hervé, il se demande comment il a pu imaginer qu'en venant à l'improviste au Mas, il aurait la moindre chance d'être accueilli comme le Messie, et il envisage sérieusement de repartir comme il est venu, sans même avoir prononcé un mot. Par bonheur, grâce à son passé de grande mondaine, Emma a appris à dissiper n'importe quel malaise, ce qui lui permet de briser la glace avec une décontraction non feinte.

— Dites donc, mon petit, vous avez un drôle de sens de l'humour ! Vous auriez pu vous annoncer !

— Je sais, je suis désolé… J'ai été tellement surpris quand vous avez parlé de chambres d'hôtes… Et après, je ne savais pas trop…

Mettant un terme à ses bafouillages, les Savora font irruption dans l'escalier qu'ils dévalent au pas de course.

— C'est pas tout ça, mais on a l'oncle Charles à enterrer ! rappelle Frédéric d'un air réjoui.

— Je vous présente Hervé, mon ex-futur petit-gendre. Hervé, je te présente Frédéric et Patricia Maille, comme la moutarde.

— C'est Savora ! proteste le couple en chœur.

« Comme si cette nuance présentait le moindre intérêt », pense Emma en levant les yeux au ciel.

— Comment me trouvez-vous ? demande Patricia, faisant admirer sa fine silhouette moulée dans une robe noire.

Sans attendre la réponse, elle disparaît à la suite de son mari, tout en faisant résonner ses talons avec autorité.

— Je préférais quand elle était déprimée... maugrée Emma.

S'appuyant sur la rampe, Juliette se relève doucement. Elle ne s'est toujours pas remise du choc que lui a causé l'irruption d'Hervé. Comment a-t-il pu débarquer alors que la seule fois où elle a répondu à un de ses messages, c'était pour lui dire de ne plus chercher à la revoir ? Elle se mettrait bien en colère, mais pour l'heure, c'est plutôt un sentiment de panique qui prend le dessus. Son teint soudain très pâle fait ressortir ses taches de rousseur, et devant le désarroi qui se lit sur son visage, sa grand-mère prend les choses en main.

— Bon, nous serons donc dix pour le dîner ! Hervé, vous ne voudriez pas être un chou et m'emmener en ville faire quelques courses ?

— Si, bien sûr...

— Qu'est-ce qu'on mange déjà ? Ah oui, j'avais pensé à des côtes de bœuf. Même sans béarnaise, c'est délicieux !

— Je vais dresser une petite liste, décide Edgar, je préparerai l'entrée en attendant votre retour.

Une fois qu'ils sont partis, Juliette monte dans sa chambre ; un soleil éblouissant illumine la pièce et elle tire les rideaux avant de s'allonger sur son lit. Sa table de chevet est occupée par la photo de ses parents qui sourient à l'objectif, enlacés et radieux. Machinalement, elle la fixe, comme elle le faisait au cours de son enfance, chaque fois qu'elle ressentait le besoin de se prouver que ses parents s'étaient aimés. Cela fait des mois qu'elle n'a pas vu sa mère, et elle aimerait bien qu'elle débarque là, maintenant, et ajoute son grain d'extravagance à une situation qui lui pèse tellement qu'elle n'a pas la moindre idée de la façon dont elle va y faire face.

Elle n'a oublié aucune des surprises que ne manquait jamais de lui réserver Héloïse quand elle arrivait à l'improviste et venait la chercher dans sa voiture cabossée. Elle démarrait toujours en marche arrière, probablement pour le plaisir de récolter les murmures de réprobation des voisins qui les regardaient s'éloigner, peu habitués à ce genre de conduite dans leur belle avenue arborée.

Juliette se perd un moment dans ses souvenirs, puis, éprouvant soudain le besoin d'envoyer un SMS à sa mère pour lui dire qu'elle lui manque, elle ouvre le tiroir de sa table de nuit et en sort son téléphone. Mais à peine a-t-elle tapé son prénom qu'elle renonce. À quoi bon ? Héloïse n'a jamais su dire les mots qu'attendait sa fille lorsqu'elle lui adressait ce genre de message ; au mieux, elle lui répondait trois jours plus tard avec un mélange d'amour et d'enthousiasme, mais sans évoquer la date éventuelle de son prochain séjour en France ;

au pire, elle tentait de masquer sa culpabilité en justifiant son absence à grand renfort d'abominables descriptions du camp de réfugiés où elle se trouvait. Juliette repose son téléphone, farfouille dans le tiroir à la recherche de ses tranquillisants et ne trouve qu'une boîte désespérément vide. Ses doigts tombent alors sur le tube de granules que sa grand-mère lui a prescrit ; faute de mieux, elle en met trois dans sa bouche et ferme les yeux.

Depuis leur rupture, ses fréquentes insomnies lui ont permis de penser à sa relation avec Hervé, et de se remémorer tout ce qu'elle a aimé chez lui, parfois avec une certaine nostalgie. Juliette l'avait à peine remarqué lors du dîner où ils s'étaient rencontrés, et elle avait été un peu contrariée lorsqu'il s'était mis à saturer sa boîte de messages au cours des jours suivants. Hervé l'avait tout de même convaincue de le revoir puis lui avait patiemment fait la cour, sans chercher à précipiter les choses. Au bout de quelques semaines, elle était tombée amoureuse, et les efforts qu'il avait déployés, son obstination à la conquérir n'y étaient pas pour rien : ils l'avaient persuadée qu'on ne pouvait passer à côté d'un homme qui vous désirait avec une telle persévérance. Puis il y avait eu la vie commune, le train-train quotidien qui s'installe, et l'ennui. L'insondable ennui. En refusant d'accepter leur rupture, Hervé montrait à nouveau ce trait de caractère qui l'avait rendu si séduisant aux yeux de Juliette : il ne lâchait jamais rien. Il avait traversé la France pour venir à elle, bravant le silence qu'elle lui opposait depuis qu'il avait omis de se présenter à sa soutenance de thèse, et la froideur, voire l'hostilité, que risquait de provoquer son apparition inattendue. Une nouvelle fois, Hervé lui donnait le sentiment d'être unique, et aucun autre homme ne l'avait fait à part lui.

Mais comme le lui avait fait remarquer sa grand-mère, elle n'avait jamais manifesté le moindre regret après l'avoir quitté, et si Hervé était venu lui offrir une belle preuve d'amour, qu'en était-il de ses sentiments à elle ?

Juliette s'abandonne à la torpeur qui la gagne peu à peu. À travers la porte résonne la voix de son père qui converse avec l'un de ses clients. Le terme « *core* européen » revient souvent et pour une fois, le jargon professionnel de Gabriel lui semble bien doux. Lui, au moins, est là, tout près, et c'est suffisant pour qu'elle se sente en sécurité et s'endorme, bercée par sa voix grave.

Quand la jeune femme se réveille, elle reconnaît le pas lent de sa grand-mère qui monte l'escalier et vient frapper doucement à sa porte.

— Entre, Granny !

Surprise de trouver la chambre dans la pénombre, Emma lui demande l'autorisation d'ouvrir un peu les rideaux avant de s'asseoir sur le lit.

— Il est où ? chuchote Juliette.

— Je l'ai collé à l'épluchage des légumes pour la ratatouille. Pour dix personnes, Edgar m'a dit qu'il en aurait au moins pour une heure.

— Tu me caresses les cheveux ?

Emma ne se fait pas prier et sourit tout en exécutant le geste mille fois répété jadis, lorsqu'elle venait encore border sa petite-fille.

— Quand je l'ai vu, j'ai eu l'impression de me désintégrer, lui confie Juliette. Et de me noyer en même temps. Un peu comme les miettes de pain que tu balances dans l'évier...

— Je t'assure que tu peux te permettre d'avoir une opinion un peu plus haute de ta petite personne, tu vaux beaucoup plus que des miettes de pain !

On frappe ; c'est Gabriel qui referme la porte et vient à son tour s'asseoir sur le lit.

— Je viens de croiser Hervé dans la cuisine... en train d'éplucher des courgettes ! Vous vous êtes remis ensemble ? Ou je suis en train de rêver et je vais me réveiller dans mon hôtel à Hong Kong ?

— Ni l'un ni l'autre. Il a débarqué tout à l'heure sans avoir prévenu personne, à part Granny...

— Sauf que je l'ai pris pour un inspecteur de police, mais passons... Le problème, c'est que ça ne fait pas du tout plaisir à Juliette !

Gabriel réfléchit un instant.

— Tu veux que je lui casse la gueule ? demande-t-il à sa fille.

Un éclat de rire salue sa proposition.

— Quelle idée ! s'esclaffe Emma. Tu t'es déjà battu, mon chéri ?

— Jamais. Je me serais totalement ridiculisé...

— Mais qu'est-ce qui te prend, papa ?

— Je ne savais pas quoi te proposer... Note bien que ça m'arrange que tu refuses, j'aime bien Hervé et je n'ai pas du tout envie de lui casser la gueule.

Trois coups discrets sont frappés, annonçant cette fois le maître d'hôtel.

— Vous tombez bien, venez vous asseoir avec nous ! lui suggère Emma.

Edgar se contente d'une petite moue et reste respectueusement à distance du lit qu'occupe la petite famille.

— Toujours aux courgettes ? lui demande Gabriel.

— Non, je l'ai aidé à finir ; il vient d'attaquer les aubergines. Il m'a chargé de dire à Juliette qu'il aimerait bien lui parler avant le dîner.

— Je vais descendre... soupire l'intéressée en se redressant.

Mais sa grand-mère la retient et la force à se rallonger.

— Attends, on est bien tous les quatre ! Et puis laisse-le encore un peu avec les aubergines, je te rappelle qu'il n'est pas venu à ta soutenance !

— C'est vrai ! Edgar, reprends-lui les aubergines et file-lui les oignons !

— Je veux bien lui filer tout ce que tu voudras, Juliette, mais ce qui me préoccupe, c'est qu'à moins qu'il n'y ait réconciliation, nous ne savons pas où le faire dormir...

— Quoi qu'il ait à me dire, je ne pense pas qu'il y aura réconciliation, murmure Juliette.

Emma enlève ses sandales et s'allonge près d'elle.

— Alors il faut trouver où le caser pour la nuit ! Ça finit par être amusant, tous ces emmerdements ! Quelqu'un a une idée ?

— Je peux lui laisser ma chambre et dormir avec toi ? suggère Juliette.

— Mais... Mon trésor, tu sais bien que je dors seule depuis la mort de ton grand-père ! Même mes amants, je les envoyais finir la nuit dans la chambre d'amis, car je m'allonge toujours...

— … en travers du lit, un oreiller entre les bras et l'autre, entre les jambes ! complètent Juliette et Gabriel en chœur.

— Il peut dormir avec moi dans la petite maison, suggère Edgar, par exemple sur le canapé du salon…

— Ce n'est pas à vous de vous le coltiner ! proteste Emma. Il dormira avec Gabriel.

— Quoi ? s'étrangle l'intéressé.

— Ne fais pas ton difficile, mon chaton, c'est juste pour une nuit et tu as un king size. Et puis il y a cinq minutes, tu l'aimais beaucoup ; tu peux bien faire preuve d'un peu de solidarité masculine !

— En réalité, votre king size est composé de deux lits simples, précise Edgar. Alors si vous acceptez, je pourrais faire deux lits bien séparés.

— Bon… D'accord, cède Gabriel.

— C'est la configuration idéale ! conclut sa mère, comme si elle venait d'arranger un tournoi de bridge à dix équipes. Je descends choisir la vaisselle, puis j'irai faire une petite sieste avant le dîner.

Chacun vaque sans plus attendre à ses occupations. Seule Juliette se met en mouvement plus lentement que les autres, redoutant par avance la discussion qu'elle va avoir avec Hervé. Sachant qu'il est en train d'éplucher une montagne de légumes, geste qu'elle ne l'a jamais vu faire en deux ans de vie commune, elle devine qu'il est prêt à tout pour la reconquérir et sa bonne volonté la touche, mais est-ce suffisant pour le laisser s'imposer dans son lit ? Bien sûr, le fait qu'il dorme avec Gabriel est une solution ; cependant, à l'idée de l'humiliation qu'il va ressentir en passant de la chambre de sa bien-aimée à celle de son père, elle ne peut s'empêcher de se sentir affreusement coupable.

La boule au ventre, elle prend le chemin de la cuisine.

Assise au milieu des convives qui prennent l'apéritif dans le salon, Emma ne peut s'empêcher de songer à l'époque où elle se plaisait à réunir toutes sortes de personnes à sa table. C'est durant les années 70 que son goût pour les assemblées hétéroclites avait culminé, l'amenant à donner nombre de fêtes mémorables au cours desquelles politiciens et hommes d'affaires côtoyaient des membres des Black Panthers, tandis qu'aristocrates et artistes en tout genre frayaient avec Madame Claude et ses protégées, sous l'œil plus ou moins bienveillant de dignitaires de toutes les religions.

En observant les Savora, elle se dit qu'elle aurait certainement pris plus de plaisir à converser avec un repris de justice ou une strip-teaseuse, mais il faut faire avec ce que l'on a. En attendant que des gens un peu distrayants aient l'obligeance de réserver une chambre au Mas, elle se console en piochant allègrement dans les petits toasts à la tapenade préparés par Edgar.

Emma n'a pas encore eu l'occasion de demander à Juliette comment s'est déroulé son tête-à-tête avec Hervé, mais les deux jeunes gens, assis loin l'un de l'autre, affichent une mine sombre et évitent de se regarder, il n'est donc pas difficile de deviner l'issue de leur entretien. Tous deux sont muets et finalement, le fait que les Savora monopolisent la parole est presque une aubaine, car leur babillage incessant fait diversion. Gabriel, Delphine Lefèvre et Pierre Lombard leur font gracieusement la conversation, bien qu'il leur soit difficile de rebondir face à cette avalanche de lieux communs. Pour Frédéric, le décès de l'oncle Charles a été l'occasion de se souvenir que : « Quand la santé va, tout va ! » et que : « Les malheurs, ça n'arrive pas qu'aux autres. » Craignant sans doute de ne pas avoir suffisamment plombé l'ambiance, il ajoute : « Il faut bien mourir de quelque chose », et Patricia enchaîne en racontant l'enterrement dans ses moindres détails, y compris en offrant une description précise des tenues portées par ses cousines. Il faut dire que la perte de son parent semble si peu l'affecter qu'Emma en vient à se demander si les larmes qu'elle a versées en faisant sa réservation n'étaient pas dues à la perspective de devoir éteindre son téléphone durant la cérémonie. Depuis qu'elle est rentrée, il n'a pas quitté sa main, et lorsque Delphine a demandé à Lola de ranger le sien, Patricia l'a défendue avec une telle véhémence que l'adolescente elle-même a préféré s'en défaire, de peur de lui ressembler un jour. Toutes les deux minutes, une petite clochette retentit, signalant l'arrivée d'un SMS que la grande communicante doit aussitôt traiter, ce qui ne l'empêche pas de continuer à parler. Sa diction devient alors hachée et syncopée, car elle se concentre en même temps sur son écran, ce qui rend son récit particulièrement pénible à écouter. Une fois qu'elle a évoqué le discours convenu du prêtre et la très mauvaise collation servie par la veuve éplorée, son époux conclut : « On est peu de chose », et Emma estime qu'il est grand temps de passer à table.

— Rouge ou blanc ? lui demande Frédéric Savora.

— Ni l'un ni l'autre, merci. Je ne bois du vin que s'il est antérieur à 1945, précise-t-elle avec un large sourire. C'est l'année où on a commencé à utiliser un adjuvant auquel je suis allergique.

— Les allergies, c'est le mal du siècle !

— Moi, je suis allergique aux chats, poursuit sa femme, alors on a pris un chien. On l'a laissé aux voisins pendant notre absence ; c'est très douloureux pour moi qui suis folle de lui. Il s'appelle Rimski, pour Rimski-Korsakov, le grand compositeur.

— Moi aussi, j'ai eu un animal qui avait un nom d'artiste russe, répond Emma, un chat que j'avais appelé Nijinski.

— En hommage au grand danseur, magnifique !

— Je ne sais pas si on peut vraiment parler d'hommage ; il se trouve que Nijinski était homosexuel et schizophrène, et mon chat aussi. Ceci explique cela...

La réplique de la maîtresse de maison déconcerte tellement les Savora, qu'elle a le mérite de les faire taire pendant un moment, offrant à leurs voisins l'opportunité de s'exprimer à leur tour. La conversation glisse sur le cinéma, et plus particulièrement sur le film *The Way*, que Lola a vu récemment.

— Tu es sûre que tu ne confonds pas avec le film *The Way Back* ? lui demande Patricia.

— Non, j'ai vu les deux et je parle bien de *The Way*, répond tranquillement l'adolescente.

— Parce que attention, il y a *The Way*, il y a *The Way Back*, et aussi *The Way, Way Back* ! insiste Patricia, en faisant lourdement traîner le mot « *way* », qu'elle prononce avec un pur accent texan.

— Ma femme est cinéphile, commente Frédéric avec modestie. Moi aussi, mais je me suis arrêté aux années 60. Vous n'allez sans doute pas être d'accord avec moi, mais je vous le dis comme je le pense : Marilyn Monroe, personnellement, je trouve qu'elle était vraiment belle !

À l'exception de Patricia, occupée à trifouiller le contenu de sa verrine du bout de sa fourchette, l'ensemble des convives s'interrompt et le dévisage.

— Vous voulez dire qu'il y a des gens qui ne sont pas d'accord avec ça ? s'étonne Gabriel.

— Mais bien sûr, et même en haut lieu, si vous voyez ce que je veux dire...

Non, personne ne voit à quoi il fait allusion, mais de toute évidence, tout le monde s'en fiche car personne ne lui pose la moindre question, et c'est dans un silence qui commence à devenir pesant que le téléphone de Patricia sonne. Sous les yeux effarés d'Emma, elle décroche et ébauche une conversation professionnelle, sans quitter la table ni prendre la peine de parler plus bas qu'à l'accoutumée.

— Votre épouse pourrait peut-être poursuivre sa discussion dans le salon ? suggère-t-elle à Frédéric.

— Non, mais ne vous inquiétez pas, on ne la dérange pas ! répond-il en se voulant rassurant.

La Britannique suffoque ; elle jette un regard désespéré à Gabriel et Juliette, qui, craignant un esclandre, s'empressent de relancer la conversation. Elle se lève alors, sous prétexte d'aller vérifier quelque chose en cuisine. Lorsqu'elle y pénètre, son visage exprime une telle détresse que le maître d'hôtel craint un instant qu'un malheur ne soit arrivé.

— Patricia Amora a répondu au téléphone à table ; elle est en train de bavarder comme si de rien n'était pendant que son mari lui caresse la cuisse d'un air lubrique ! Est-ce qu'on peut les renvoyer ?

— Non, Lady M. C'est insupportable, mais on va attendre de commencer à gagner de l'argent pour chasser des clients.

— Et si on rédigeait un code de bonne conduite au Mas, pour qu'ils sachent au moins à quoi s'en tenir ?

— C'est une excellente idée. Si vous le voulez bien, on se penchera dessus quand je serai un peu moins occupé.

— Pardon Edgar, vous êtes en plein travail et je viens vous embêter… Je peux vous aider à quelque chose ?

— Oui, me dire ce que vous pensez de la cuisson des côtes de bœuf.

À ces mots, le visage d'Emma s'éclaire, et lorsqu'elle regagne la salle à manger, accompagnée d'Edgar, du plat et de la ratatouille, pompeusement rebaptisée « Mijoté de légumes d'Hervé », l'indélicate convive a raccroché, et le repas reprend sereinement son cours. Hélas, il n'y a aucun sujet que les Savora ne condamnent à une mort précoce par banalité. Gabriel tente pourtant d'aller sur le terrain de Frédéric, en engageant avec lui une discussion sur la crise économique mondiale, mais la conclusion de ce dernier – « Ce qu'il nous faudrait, c'est une bonne guerre ! » – met un frein définitif à sa bonne volonté.

En son for intérieur, la maîtresse de maison rend les armes. La voilà, la sentence que lui inflige le ciel pour avoir dilapidé son argent comme la plus légère des cigales. Car finalement, avoir réduit son train de vie ne lui pèse pas tant que ça ; en revanche, ouvrir sa maison à de parfaits imbéciles se révèle une douloureuse épreuve.

« Ça m'apprendra », se dit-elle avec philosophie. Et tout en se jurant d'être plus conséquente dans sa prochaine vie, elle reste stoïque quand le portable de Patricia sonne à nouveau. La directrice de communication, plus survoltée que jamais, s'exprime cette fois en anglais, ce qui permet à son époux de faire remarquer combien elle maîtrise la langue de Shakespeare.

— Plutôt celle de George Bush, corrige Emma, si l'on tient compte de son accent et de sa sensibilité pour l'écologie.

La conversation s'achève, Patricia pousse un profond soupir et commence à se ronger les ongles.

— Goûtez ça, c'est meilleur ! lui dit Emma en désignant la crème brûlée posée devant elle.

— Désolée, je ne mange jamais de sucre.

— Vous devriez, ça vous détendrait. Juliette aussi se rongeait les ongles quand elle était petite ;

je l'appelais *little cannibal*, tu te souviens ma chérie ?

Sa petite-fille acquiesce, affreusement gênée. Assis à côté d'elle, son père commence à se dire qu'en dépit des apparences, il aurait été plus judicieux de choisir Hong Kong que Casteljaloux pour prendre quelques jours de repos. Patricia retire ses ongles de sa bouche, et y enfourne un chewing-gum à la place.

— *Too much stress !* dit-elle à Emma d'un air entendu.

Pour toute réponse, Emma savoure une cuillère de crème brûlée et conclut à l'intention de Pierre Lombard :

— *Definitely better than sex*[*] *!*

Il est temps de mettre un terme à ce repas, se dit Juliette, et elle propose un café ou une infusion à la cantonade. Les Savora acceptent son offre avec enthousiasme, ce qui a pour effet de dissuader tous les autres convives d'en faire autant.

Alors que les hôtes quittent la salle à manger, Gabriel embrasse sa mère, pressé de regagner sa chambre.

— Tu n'oublieras pas de laisser une petite veilleuse pour Hervé !

Les deux intéressés sursautent ; le premier parce qu'il avait déjà oublié qu'il devait partager sa chambre, le second parce qu'il n'avait pas imaginé cette issue un seul instant.

— Ça vous va, Hervé ? À moins que vous ne vous soyez rabiboché avec Juliette ? lui demande-t-elle à mi-voix.

* Incontestablement meilleur que le sexe !

— Euh… Pas tout à fait…

— Alors c'est la seule solution ! Mais ne vous inquiétez pas, ça va très bien se passer !

Elle sort un petit tube de granules de sa poche, et fait signe aux deux hommes de s'approcher.

— Ouvrez la bouche ! ordonne-t-elle.

Puis elle y glisse trois petites boules blanches en leur précisant de les laisser fondre sous leur langue.

— C'est juste du Chamomilla, ça vous aidera à dormir…

Baissés pour être à sa hauteur, dans la même position que s'ils recevaient une hostie, les deux petits garçons se laissent faire, puis commencent à gravir péniblement l'escalier sans se regarder. Alors qu'Emma prend le chemin de la cuisine, les Savora l'interpellent.

— On a renoncé à la tisane, nous sommes trop fatigués, explique Frédéric.

— *Too much stress*, répète Patricia, qui semble avoir perdu toute faculté à dire autre chose.

— Mais nous adorons votre maison, et on vient de parler avec Edgar, qui nous a confirmé que notre chambre est libre les deux nuits prochaines ; nous avons donc prolongé notre séjour.

Emma esquisse un sourire, tandis qu'elle se demande si le châtiment divin n'est pas en train de se transformer en purgatoire. Un éclat de rires enregistrés retentit alors, et du haut de la cage d'escalier, Lola lui fait un clin d'œil complice avant de disparaître. Emma s'offre le plaisir de regarder les Savora chercher en vain d'où viennent les rires, puis elle leur souhaite une bonne nuit et s'éloigne en affichant un air parfaitement innocent.

De la fenêtre de sa chambre, Emma guette le moment où Edgar aura regagné ses pénates pour la nuit. Dès que les lumières brillent dans la petite maison, elle marche à pas de loup vers la cuisine, referme soigneusement la porte et commence à inspecter le réfrigérateur. Bien que les hôtes aient fait honneur au repas, il reste une grande quantité de ratatouille et de viande froide ; elle en garnit généreusement un bol et un plat avant de les poser sur un plateau, en prenant soin d'y ajouter de la moutarde et du pain. Elle va ensuite rouvrir la porte ainsi que celle de la maison, puis revient chercher son plateau.

Droite comme un I, concentrée à la fois sur sa charge et sur l'endroit où elle met les pieds, la Britannique ne voit pas Pierre Lombard qui, du haut de l'escalier, l'observe tandis qu'elle sort de la cuisine, les bras chargés de victuailles. Chaque soir depuis leur dîner au village, il attend que tout le monde soit couché et descend éteindre une partie des lumières extérieures, dans l'espoir que la trêve qui semble régner entre elle et ses voisins perdurera. Ce qu'il ignore, c'est que si elle ne dort pas, Emma les rallume systématiquement. Puis le matin, selon son habitude, c'est Edgar qui les éteint en se levant. Vu de l'extérieur, ce petit ballet lumineux est bien difficile à déchiffrer et l'occasion pour les voisins de se livrer à diverses interprétations, toutes erronées.

L'écrivain attend que son hôtesse ait disparu puis il rebrousse chemin ; heureusement qu'il n'est pas descendu deux minutes plus tôt, il serait tombé nez à nez avec elle. Quel embarras pour Emma d'être surprise en train de manger à nouveau, une heure après la fin du dîner ! La pauvre, elle doit être boulimique. À moins qu'elle n'ait attrapé un ver solitaire ? Il faudrait peut-être qu'il en touche deux mots à Juliette, se dit-il en rentrant dans sa chambre.

Quelques secondes plus tard, une autre porte s'ouvre à l'autre bout du palier, celle de Gabriel ; il se dirige vers l'escalier et le descend discrètement.

— Où étais-tu ?

Emma sursaute en découvrant son fils, étendu en caleçon et T-shirt sur le canapé de son boudoir.

— Tu m'as fait peur ! Je pensais que tu étais couché...

— Je l'étais, mais je te rappelle que j'ai Hervé dans ma chambre ! Moi aussi je suis habitué à dormir seul ; il m'arrive de passer la nuit avec une femme, mais avec un garçon, ça ne s'était pas produit depuis ma dernière colo !

— Pauvre chou, compatit sa mère en s'asseyant à sa coiffeuse.

— Impossible de dormir… Pour lui aussi, d'ailleurs, on était là, tous les deux à se tourner dans tous les sens… Vachement gênant ! Alors j'ai préféré venir ici… Tu ne m'as pas répondu, où étais-tu ?

Sa mère prend le temps d'attacher ses cheveux avant de répondre à sa question.

— Je suis allée me dégourdir les jambes dans le jardin.

— Vraiment ? Tu n'as plus peur des petites bestioles qui ne se voient pas la nuit ? s'amuse Gabriel.

— Plus depuis que je suis occupée à avoir peur des imbéciles ! Ces Amora, ils détiennent le record…

— Il va falloir songer à retenir leur vrai nom… Ce serait bien que tu fasses un effort, tu montres trop qu'ils t'horripilent.

— Eh bien visiblement, ils n'ont rien remarqué, car ils ont prolongé leur séjour de deux nuits. Ce qui signifie deux petits déjeuners et deux dîners de plus ! Tu te rends compte ?

— J'avoue qu'ils sont pénibles… Si les institutions économiques sont conseillées par des types comme lui, on n'est pas prêts de sortir de la crise.

— Tu crois qu'on peut leur demander de partir plus tôt ?

— Sous quel prétexte ? Leur stupidité ?

— Je ne sais pas… On pourrait leur dire que j'ai de la famille qui débarque de Grande-Bretagne…

— Ce ne serait pas un motif pour les chasser ; ils ont réservé !

— Je ne comprends pas comment Edgar a pu leur confirmer que la chambre était libre, se désole Emma.

— C'est sans doute que tu as encore quelques progrès à faire pour devenir une vraie commerçante…

— N'empêche que s'ils s'en allaient, Hervé pourrait récupérer leur chambre !

— Parce qu'il compte rester encore longtemps ? s'inquiète Gabriel.

— Je ne sais pas, je n'ai pas encore eu l'occasion de parler à Juliette. Mais s'il prolonge, on cherchera une solution…

— Comme quoi ?

— Je ne sais pas, moi… On pourrait essayer de le caser avec Lola ?

— Elle a 15 ans !

— Et Delphine ? Elle est très sympathique, et ils ne doivent pas avoir tellement d'écart. À ton avis, elle a quel âge ?

— Tu plaisantes ou tu as perdu la tête ? s'insurge Gabriel. Ce n'est pas parce que Juliette n'en veut plus qu'il faut le caser avec n'importe qui, sous ses yeux en plus ! Tu t'imagines que Delphine est le genre de femme à se taper un type plus jeune qu'elle en présence de sa fille, avant de reprendre tranquillement la route de leurs vacances ? Et quand bien même, ça ne résoudrait rien, parce que du coup, c'est Lola qu'il faudrait reloger pour la nuit…

— C'est plus facile, on la mettrait chez Juliette.

— Ben voyons ! Tu as raté ta vocation ; ce n'est pas une maison d'hôtes que tu aurais dû ouvrir, c'est une agence matrimoniale. De toute évidence, tu as de grandes prédispositions en ce domaine !

Emma glousse comme une jeune fille.

— Tu n'as aucun humour !

— Ce n'était pas une blague, je te connais, tu n'as aucune limite ! Franchement, maman, tu es la personne la plus immorale que je connaisse !

— Si tu le dis, mon chéri.

Affichant le même sourire que si elle venait de recevoir un magnifique compliment, Emma commence à se démaquiller. La même routine immuable, à laquelle Gabriel assistait avec fascination lorsqu'il était enfant, les mêmes gestes qu'il a tant aimé regarder car à ses yeux, ils symbolisaient l'heure à laquelle sa mère n'appartenait plus à personne d'autre qu'à lui. En mouvements circulaires, le coton glisse sur le visage resté jeune. Derrière ces gestes soigneusement répétés, l'impérissable volonté de ne rien céder au temps. Jamais lassé de ce spectacle, Gabriel observe sa mère avant de se lever et de lui déposer un baiser sur le front.

— Je remonte me coucher. En espérant qu'Hervé a fini par s'endormir…

Sa mère achève son petit rituel, puis gagne son lit avec délice, heureuse de prendre du repos après une journée riche en activités et en émotions diverses. Alors qu'elle pense à Juliette et à la meilleure façon de l'accompagner durant la période délicate qu'elle traverse, la guitare de Jimi Hendrix déchire soudain le silence de la nuit. Emma pousse un profond soupir, envisage un instant de mettre ses boules Quiès, puis renonce, vaincue à la simple idée de devoir se redresser pour atteindre sa table de nuit.

Et tandis qu'elle poursuit sa rêverie, elle se surprend à battre du pied en rythme avec la musique.

Non contente de faire la grasse matinée, Emma a retardé le plus possible le moment de prendre son petit déjeuner, bien déterminée à laisser s'écouler suffisamment de temps pour que les Savora aient quitté la table à son arrivée. Lorsqu'elle se rend enfin sur la terrasse, ce sont tous ses hôtes qui l'ont désertée, et seule Juliette l'attend, occupée à rêvasser devant sa tasse de thé. Le moral en berne, elle est affalée sur la table, les épaules voûtées, et avant d'aller s'asseoir, l'ancienne danseuse s'arrête derrière elle et lui redresse le buste.

— C'est bon pour ton dos et c'est bon pour le moral ! Je t'assure qu'on se sent mieux avec une posture de reine qu'avec celle d'une tortue !

— J'aimerais bien être une tortue, je me cacherais dans ma carapace en attendant que ça passe.

— Tu parles d'Hervé ?

— Pas seulement. Je suis incapable de travailler, je finis par croire que je n'arriverai jamais à présenter ma thèse. Je n'ai qu'une envie : ne plus jamais ouvrir ce foutu document. Je ne veux même pas y penser ! Et je me sens tellement mal vis-à-vis d'Hervé, si tu savais…

— Où est-il ?

— Parti faire un golf. Tous les trains sont bondés, il est obligé d'attendre demain pour repartir.

— Comment s'est passé votre tête-à-tête ?

— Il a proposé qu'on aille se promener autour du lac.

Juliette s'interrompt, songeuse. Situé en bordure de la forêt des Landes, le lac de Clarens est un endroit auquel elle est particulièrement attachée. Durant son enfance, chaque soir d'été, Edgar les y emmenait, Emma et elle, afin de s'étendre sur la plage aménagée et d'assister au coucher de soleil. Adolescente, c'est à vélo et avec ses amis qu'elle s'y rendait pour faire du pédalo et de l'Accrobranche, et c'est à l'ombre d'un de ses pins qu'elle a échangé son premier baiser. Avec chacun de ses amoureux invité à séjourner au Mas, elle s'est promenée main dans la main autour du lac – avec Hervé aussi, qui a passé ses vacances dans la demeure familiale tout au long de leur vie commune. Comme les autres, il pensait être le seul à partager cet endroit avec elle, et c'est là qu'il a souhaité lui parler, certain qu'aucun lieu ne serait plus propice à la réconciliation que celui où ils ont partagé de longs moments de tendresse. Mais c'est précisément parce qu'il était juste que son raisonnement s'est retourné contre lui, car à mesure qu'il déployait des arguments censés la convaincre de lui revenir, Juliette s'est rendu compte que si elle n'avait pas envie qu'Hervé la prenne dans ses bras et l'embrasse au lac de Clarens, elle n'en aurait plus envie nulle part.

— Ça ne s'est pas arrangé ? demande Emma, rompant le silence qui s'est installé.

— Il n'y avait aucune raison que ça s'arrange, Granny, parce qu'il n'y a rien qu'il puisse faire pour changer les choses. Ce n'est pas comme s'il s'était passé quelque chose qu'il fallait réparer... Si je l'ai quitté, c'est que j'ai réalisé que lorsque je suis avec lui, je ne me sens pas à ma place. Jamais complètement. Et en me retrouvant ici avec lui, j'éprouve encore ce même sentiment. Je me sens coupable de lui faire de la peine, je suis touchée de voir qu'il fait autant d'efforts pour me reconquérir, mais ce que je ressens pour lui, ce n'est pas de l'amour.

— Alors c'est terminé. Tu as fait le bon choix.

— Ça a l'air tellement simple dans ta bouche...

— Ne crois pas ça, ma chérie. Après ton grand-père, je crois que chaque homme que j'ai connu m'a fait souffrir à un moment ou à un autre.

— Tu as eu beaucoup d'amants ?

— Le mot « amants » ne convient pas, je n'ai eu que de vraies relations. Donc non, il n'y en a pas eu beaucoup, car je n'ai pas aimé beaucoup d'hommes. Je n'ai jamais eu d'aventure d'un soir. Enfin si, une fois, il y a une cinquantaine d'années, alors que j'étais en tournée en Californie avec ma compagnie de danse. Après le spectacle, je suis sortie avec d'autres membres de la troupe, et on s'est retrouvés dans un club de jazz rempli de militaires, parce que nous étions tout près d'une base de l'armée de l'air. Il y avait un garçon très discret qui m'a fait la cour toute la soirée. Je ne sais plus trop comment, j'avais peut-être trop bu, toujours est-il que je me suis retrouvée à passer la nuit avec lui... Eh bien c'était Neil Armstrong.

Juliette la dévisage, incrédule.

— Tu parles du… premier homme à avoir marché sur la Lune ?

— Je n'en connais pas d'autre, répond sa grand-mère en faisant papillonner ses longs cils. C'est amusant, parce que en quittant sa chambre au petit matin, je me souviens très bien d'avoir pensé : « Celui-là, il ira loin… » Mais je ne m'imaginais pas jusqu'où… Enfin, je n'y suis pour rien, précise-t-elle d'un air modeste. Disons juste que j'ai toujours eu le chic pour déceler les hommes intéressants.

— Moi, j'ai surtout le chic pour me planter. Au fond, c'est ma faute ; je suis toujours attirée par des hommes qui n'ont rien à voir avec moi. Pas étonnant que ça ne marche pas. Je devrais peut-être commencer une thérapie pour essayer de comprendre pourquoi je répète toujours les mêmes erreurs. Tu es déjà allée chez un psy ?

— Oui, à Londres, dans les années 70 ; un genre de psy psychédélique. Il était très en vogue ; les gens le considéraient comme le pape de l'antipsychiatrie. Drôle de concept. Je n'y comprenais strictement rien à l'époque, et je n'y comprends toujours rien.

— Pourquoi est-ce que tu l'as consulté ?

— Simple curiosité.

— Alors ?

— On était assis face à face, dans des fauteuils en Plexiglas, et on n'a pas échangé un mot. Il prenait fébrilement des notes, la tête baissée, et moi je regardais ses chaussettes. Elles étaient fuchsia. Au bout de trente minutes, je lui ai demandé : « Vous ne me posez même pas une question ? » Il m'a répondu : « Si, mais quelle est la question ? Quelle est la question ? Quelle est la question ? » Et il a répété ça en boucle jusqu'à la fin du rendez-vous ! Inutile de te dire que je ne l'ai jamais revu de ma vie.

— Je me demande ce que ça aurait donné s'il avait eu certains de nos pensionnaires comme patients ! sourit Juliette en désignant la fenêtre de la chambre fleurie.

— Ils sont là ? chuchote sa grand-mère.

— Non, partis passer la journée chez la veuve de l'oncle Charles.

— La pauvre, c'est vraiment la double peine ! Enterrer son mari et se retrouver avec eux comme consolateurs, je me demande comment elle fera pour tenir le coup !

— Et moi je me demande comment Patricia a fait pour dégoter son job alors que tout ce qu'elle dit est débile ! Je lirais bien quelques-uns de ses communiqués...

— Tu sais qu'ils ont prolongé ? Rebelote pour le dîner de ce soir... se désole Emma. Et si j'invitais tout le monde au restaurant en demandant qu'on nous installe à des tables séparées ?

Juliette la fusille du regard, signifiant l'arrêt de mort immédiat de son idée saugrenue.

Des « Ouh ouh ! » retentissent alors dans la maison, et Magali fait son apparition sur la terrasse.

— Edgar m'a dit que je vous trouverais là. Comment ça va ?

— Bien, nous étions en train d'avoir une agréable conversation en tête à tête, précise Emma, afin de lui signifier qu'elle tombe mal.

Mais loin de saisir la perche tendue, l'encombrante voisine s'assied à table sans attendre d'y être invitée.

— Figurez-vous qu'hier, j'ai fait une formation en thérapie psychocorporelle, vous connaissez ?

Emma fait alors le geste préféré de Juliette – elle pose la main sur son bras et lui sourit tandis que ses yeux lui disent : « Désolée pour cette interruption, je reste avec toi. » Alors seulement, elle daigne répondre à l'importune.

— J'étais justement en train de dire que j'ai renoncé depuis longtemps à toutes ces foutaises.

Dans la bouche de n'importe qui d'autre, cette réponse aurait marqué le début d'un conflit armé, mais la voix de velours d'Emma fait presque passer cette réflexion pour une amabilité.

— C'est très sérieux au contraire ! J'ai appris à faire un massage néo-reichien, ça permet de faire remonter à la surface les émotions refoulées dans notre mémoire corporelle.

La maîtresse de maison la dévisage avec une mine franchement inquiète.

— Mais qui a envie d'une chose pareille ?

— Envie, je ne sais pas, mais je vous assure que nous en avons tous besoin, vous la première, madame Dubreuil ! Vous n'imaginez pas les dégâts causés par les charges émotionnelles qu'on retient sans le savoir.

— Personnellement, je ne retiens pas grand-chose ; mon fils me le reproche assez souvent d'ailleurs…

La masseuse l'interrompt en lui posant la main sur le bras, d'un geste d'initiée qui maîtrise la question.

— Oui, c'est ce qu'on dit. Mais croyez-moi, il suffirait d'une bonne séance de respiration pour vous aider à relâcher vos tensions musculaires.

Devant l'expression fermée de la Britannique, elle se tourne vers Juliette et ajoute d'un air coquin :

— En plus, ça provoque une sensation de plaisir dans tout le corps !

Décidément, quelle perverse ! se dit Emma. Elle n'a cependant pas à éconduire sa visiteuse, car contre toute attente, sa petite-fille s'en charge.

— Malheureusement, je suis débordée car la maison est pleine. Et pour ce qui est du plaisir, ma grand-mère a été comblée au rayon Bricolage de l'Intermarché. Cela dit, je peux proposer tes services à nos hôtes.

Magali n'en demandait pas tant.

— C'est trop gentil ! Je sens qu'on va faire de grandes choses ensemble… Je te commissionnerai bien sûr, ajoute-t-elle d'un air entendu.

— Mais non. Tu as des cartes de visite à me laisser ?

Non, Magali n'a pas de cartes, mais comment n'y a-t-elle pas pensé plus tôt ? Elle décide de s'en faire imprimer sur-le-champ et repart aussi vite qu'elle était venue.

Dans le silence revenu sur la terrasse éclatent les applaudissements d'Emma.

— Bravo, ma chérie, tu es beaucoup plus diplomate que moi, et surtout plus efficace pour faire déguerpir les gens ! Et dire que tu vas gagner une commission sur les « grandes choses » que vous allez faire ensemble… Tu devrais sonder un peu nos clients ; s'il y en a qui consomment des substances illicites, ton avenir est fait et tu peux laisser tomber ta thèse : il y a du business qui t'attend ici.

Juliette lui sourit bravement, mais le cœur n'y est pas. Emma reprend son sérieux.

— Pourquoi tu ne vas pas voir Pierre pour lui demander s'il souhaite travailler avec toi ?

— Je ne sais pas, je n'ai pas envie de m'imposer...

— T'imposer ? Mais encore hier, il m'a dit que depuis des semaines, il avait des problèmes avec un personnage qu'il trouvait faible, et que c'est toi qui avais trouvé le moyen de le renforcer !

Aussi fière que dubitative, la jeune femme la fait répéter. Fin pédagogue, Pierre anime régulièrement des ateliers d'écriture, et quand il réfléchit à haute voix avec Juliette, il prend le temps de lui expliquer comment il construit son plan, travaille le style ou le rythme de ses textes. Comment imaginer dans ce cas qu'elle aussi pouvait lui être utile ? Sans plus hésiter, elle monte voir l'écrivain sous le regard satisfait de sa grand-mère, qui sait que rien ne la réconfortera davantage que de passer du temps auprès de lui.

Faisant claquer les talons de ses escarpins avec autorité, Patricia Savora entre dans le salon, brandissant un dessin qu'elle présente à l'assistance.

— Qui a fait ça ?

— Nous l'avons trouvé sous la commode de notre chambre, précise son époux, trottinant à sa suite.

— Ça doit être une des petites personnes en double, répond Emma qui a oublié le prénom des jumeaux.

— Une famille avec deux petits garçons vous a précédés, explique Juliette, c'est sûrement l'un d'entre eux.

— Il faut suivre cet enfant de près, il a un véritable talent d'artiste, affirme Frédéric d'un ton de connaisseur.

— Un sacré virtuose ! confirme sa femme.

Emma pose un regard désabusé sur le gribouillage insignifiant ; elle se lève, glisse avec prudence un CD dans le lecteur, et se rassied au moment où les premières notes se font entendre.

— Rostropovitch jouant le *Concerto pour violoncelle* de Dvořák. Voilà une meilleure définition de la virtuosité.

Delphine, Lola, Pierre, Gabriel et Hervé échangent un regard amusé. Loin de leur peser autant qu'à la propriétaire des lieux, la présence des Savora représente à leurs yeux un divertissement sympathique, et ils les observent avec autant de curiosité que des touristes découvrant une tribu aux mœurs étranges en visitant un pays du tiers-monde, d'autant plus heureux de cette plongée dans un univers exotique qu'ils ne vont pas tarder à retrouver la civilisation.

— Si vous voulez mon avis, reprend Frédéric, question musique, on n'a jamais fait mieux que le rock. Vous devez être fière d'être anglaise, c'est quand même eux qui l'ont inventé !

— Vous voulez dire les Américains, le corrige Lola.

— Comment ça ?

— Vous n'avez jamais entendu parler de Chuck Berry ou de Little Richard ? Allez, je vous aide : Elvis Presley, ça vous dit bien quelque chose ?

Frédéric se renfrogne comme un petit garçon vexé, tandis qu'Emma adresse son plus beau sourire à l'adolescente.

— Si on s'en tient au XIX^e^ siècle, reprend-elle avec hauteur, c'est en France que ça se passait ; prenez Fauré, Satie, Berlioz, Debus…

— Mais le XX^e^, c'est les Stones, faut pas les oublier !

Pour lui rafraîchir la mémoire, il se lève, mime une guitare imaginaire et se met à brailler.

— *I can't get no… tin-nin-nin… Satisfaction ! tin-nin-nin ! I can't get no…*

Le violoncelle de Rostropovitch gémit sous ces beuglements, et face à une telle attitude, Emma se demande soudain si elle ne serait pas la victime d'une caméra cachée. Ça expliquerait tout ! Elle jette un œil vers la porte, s'attendant à voir apparaître un quelconque animateur moustachu, mais non, personne ne vient la délivrer. Et une fois de plus, elle doit se résoudre à accepter la cruelle réalité : l'énergumène qui continue à s'égosiller devant un auditoire accablé n'est pas un personnage de fiction, et bien qu'elle soit très tentée de lui mettre un coup de pied au derrière, elle est censée le tolérer aussi longtemps qu'il le souhaitera. Pas question pour autant de subir davantage ce concert assourdissant – autant aller chez les voisins ; ils ont au moins le mérite de respecter l'original. Dire que quelques instants plus tôt, tous goûtaient au plaisir de prendre un verre en regardant le crépuscule tomber à travers les fenêtres ouvertes sur le jardin… Il a suffi que les Savora apparaissent pour torpiller ce bon moment ; c'est bien la moindre des choses de les priver d'apéro.

— À table ! ordonne la maîtresse de maison, interrompant sèchement l'insupportable karaoké.

Durant la première partie du repas, c'est l'intarissable Frédéric qui se charge d'animer la conversation, et seuls Delphine et Pierre se donnent la peine de lui répondre. Ne désespérant pas de déceler les lumières justifiant le haut poste qu'occupe Frédéric, l'écrivain l'interroge sur la conjoncture économique, mais comme sa seule référence semble être le vieux slogan publicitaire « Nos emplettes sont nos emplois ! », le sujet est vite expédié. Les autres convives ont tous une bonne raison de rester silencieux. N'en perdant pas une miette, Lola prend discrètement des notes sur son téléphone. Elle tient un blog dans lequel elle consigne ses observations sur le monde des adultes, qu'elle a sobrement intitulé *La planète des singes*, et depuis qu'elle les connaît, les Savora constituent pour elle une inépuisable source d'inspiration.

Éprouvant une sincère compassion à l'égard d'Hervé, Emma l'a placé face à elle, lui faisant ainsi présider la table, dans l'espoir qu'il se sentirait quelque peu revalorisé par cette position. Mais loin d'être sensible à cette délicate attention, l'amoureux éconduit lance des regards de chien battu à Juliette, qui feint de ne pas les voir et noie sa culpabilité dans des verres de vin. Gabriel observe leur manège ; la mine d'Hervé qui ne cesse de s'assombrir laisse présager une très mauvaise nuit, et il commence à se demander s'il ne ferait pas mieux de demander l'asile politique à Edgar. Quant à Patricia, elle est trop occupée à échanger des SMS pour prendre part à la conversation.

Emma fait des efforts inouïs pour ignorer ses clients toxiques ; concentrée sur son assiette et sur le concerto de Dvořák dont les notes s'échappent du salon, elle y parvient plutôt bien et son orgueil s'en trouve regonflé. Ce n'est pas une paire de clowns qui va assombrir la réussite phénoménale de sa petite entreprise. Après tout, des êtres aussi ignorants de ce qui fait la saveur de l'existence sont avant tout à plaindre, et ce constat lui inspire une mansuétude dont elle-même ne se serait pas crue capable.

Toute en soupirs d'exaspération, Patricia goûte à peine à son plat, et Emma regarde avec regret les petits légumes farcis qu'Edgar a préparés avec amour dépérir dans son assiette.

— Vous ne mangez pas ? C'est pourtant délicieux…

— Je sais, je sais… Et je vois bien que vous vous cassez la tête avec la cuisine, mais moi, avec une salade d'endives, j'ai dîné !

— Je ne mange pas d'endives, elles me rendent triste, réplique Emma d'un air grave.

Soudain, Patricia laisse échapper un cri de joie à la lecture d'un message.

— Ça y est, la fuite du puits de pétrole est colmatée !

— Est-ce qu'on est en mesure d'évaluer les conséquences écologiques ? lui demande Pierre Lombard.

— Elles sont énormes ! affirme-t-elle d'un ton léger. Mais avec un peu de chance, d'ici deux ou trois jours, les infos auront trouvé autre chose à se mettre sous la dent. Ce qui nous ferait du bien, ce serait une autre catastrophe. Un petit crash d'avion… Ou un conflit, avec beaucoup de victimes civiles…

L'assemblée reste sans voix, à l'exception de son époux.

— Oui, un petit conflit dans un pays du Moyen-Orient serait le bienvenu, surtout s'il s'agissait d'un gros producteur de pétrole. Du coup, ça ferait remonter vos actions qui en ont pris un sacré coup…

— Exactement, mon trésor ! confirme Patricia, à qui cette joyeuse perspective redonne le sourire.

Le couple se regarde, éperdu d'admiration mutuelle, et sanctionne cet état d'osmose en s'embrassant bruyamment sur la bouche.

Le son et l'image ont raison des bonnes résolutions diplomatiques et diététiques d'Emma, qui se jette sur la corbeille de pain et le beurrier, tandis que Juliette achève de vider la bouteille la plus proche dans son verre.

— Et si on jouait à un quiz ? demande Patricia, devenue gaie comme un pinson. Est-ce que quelqu'un sait comment ça s'appelle, quand on a le deuxième orteil plus long que le premier ? Chéri, montre-leur ton pied !

Emma est atterrée. Son abattement vire à l'horreur lorsqu'elle remarque que son voisin a commencé à se déchausser.

— Vous n'avez pas l'intention de nous montrer vos orteils pendant le repas, j'espère ? Même mon chat n'aurait jamais fait ça !

Frédéric remballe prudemment son pied.

— De plus, poursuit Emma, un enfant de deux ans pourrait répondre à une question pareille !

— C'est juste, il faudrait relever le niveau du quiz si vous avez l'intention de jouer avec des adultes ! renchérit Pierre qui commence lui aussi à perdre patience.

Sans la moindre transition, Juliette s'écrie « Nos emplettes sont nos emplois ! » et prend aussitôt un fou rire nerveux. Elle soulève le long pan de nappe qui couvre ses genoux et se le met sur la tête, ce qui ne dissimule nullement les hoquets qui secouent son corps.

— Si je peux me permettre, votre petite-fille m'a l'air bourrée comme un sauciflard ! commente Frédéric.

C'en est trop pour la maîtresse de maison qui quitte la table, prétextant une migraine.

Retirée dans son boudoir, elle laisse toutefois la porte ouverte et tend l'oreille, très préoccupée par l'état de Juliette. Aussi inquiet qu'elle, Gabriel prend l'initiative de la mettre au lit comme la petite fille qu'elle semble être redevenue, et Emma le voit avec soulagement se diriger vers l'escalier en la soutenant fermement. Sitôt le dessert avalé, les autres convives ne s'attardent guère à la table partiellement désertée, et cachée derrière sa porte, leur hôtesse les observe monter un à un.

Dès que leurs pas se sont dissipés sur le palier du premier étage, elle file rejoindre Edgar à la cuisine. Celui-ci lui sert une part du gâteau dont sa fuite l'a privée, et elle la déguste en le gratifiant d'un récit détaillé des derniers outrages du couple maudit.

— Quelles horribles personnes, conclut-elle. J'aimerais bien ne plus jamais les revoir de ma vie, c'est possible ?

— Je crains que ce ne soit difficile, ils m'ont dit qu'ils souhaitaient prolonger leur séjour d'une nuit supplémentaire.

— Encore ! Et vous avez accepté ?

Edgar acquiesce sobrement, plongeant Emma dans un profond désarroi.

— Il reste du fondant au chocolat ? finit-elle par demander d'une voix de mourante.

Tandis qu'il la ressert généreusement, son fidèle compagnon tente de la raisonner.

— La chambre était libre, Lady M ; on ne peut pas se permettre de refuser des nuitées !

— Bien sûr, acquiesce Emma à contrecœur. Mais vivement qu'ils retournent à Dijon !

Le lendemain, Juliette se réveille avec la gueule de bois. Du dîner de la veille, elle conserve un souvenir confus et l'assurance de s'être ridiculisée à table, ce qui ne l'incite guère à se présenter à celle du petit déjeuner. Mais ce matin, son père et Hervé quittent la maison, Delphine et Lola aussi, et il est inconcevable qu'elle les laisse partir sans leur dire au revoir. Juliette appréhende terriblement le départ de son ex, et l'idée qu'elle le voie peut-être pour la dernière fois a tendance à la clouer davantage à son lit, mais il n'est pas question de se défiler.

Par la fenêtre ouverte, des éclats de voix lui parviennent de la terrasse, et Juliette écoute des bribes de conversation ; lorsque chacun reprend le chemin de sa chambre, elle guette les pas qui se succèdent sur le palier. C'est seulement une fois le silence revenu qu'elle descend se servir un café. À son grand soulagement, tout le monde redescend en même temps et les adieux qu'elle appréhendait se diluent dans l'agitation collective.

En ce jour de grand départ, Emma s'est préparée avec un soin tout particulier. Elle accorde toujours une grande importance à la dernière impression qu'elle laisse et fait une apparition remarquée dans une robe japonaise en soie rouge imprimée de fleurs de cerisier, les cheveux relevés en un savant chignon bouclé qui a dû l'occuper une partie de la matinée. Lola est la première personne qu'elle prend dans ses bras. L'adolescente, que son âge rend à peu près aussi tolérante que la Britannique, est devenue sa partenaire privilégiée pour échanger des sarcasmes sur Patricia et Frédéric, et elle la voit partir avec regret.

— Je suis désolée de vous laisser toute seule avec les relous ! lui glisse Lola à l'oreille.

Emma l'embrasse comme du bon pain.

— Pas besoin de chuchoter, ils sont partis emmerder la pauvre veuve de l'oncle Charles… C'est vrai que leur présence sera encore plus difficile à supporter sans toi ! Enfin, bonnes vacances, ma chérie, tu seras toujours la bienvenue ici.

— Oh, mais je reviendrai, sans elle s'il le faut ! dit-elle en désignant sa mère, qui la gratifie d'un petit rire enregistré.

Pierre est venu saluer les partants, et la maîtresse des lieux lui ayant attribué le titre de seul survivant des hôtes civilisés, il lui promet un soutien indéfectible lors du prochain dîner avec les Savora.

Les adieux sont difficiles pour tout le monde, car personne n'était pressé de voir cette parenthèse amicale prendre fin. Du jour au lendemain, les bons repas qu'ils ont partagés et la joyeuse complicité qui les a unis leur ont donné l'impression de faire partie d'une même famille, et bien que chacun fasse de son mieux pour le dissimuler, ils éprouvent tous une certaine mélancolie.

Edgar devrait se réjouir de voir sa tâche allégée pour les prochains jours, mais il n'a jamais supporté les séparations et combat l'émotion qui le gagne en se tenant plus droit que jamais ; quant à Emma, qui voit pour la première fois partir des hôtes auxquels elle s'est attachée, elle l'observe à la dérobée en se demandant si Juliette et lui l'autoriseront à inviter gracieusement Delphine et Lola, qu'elle considère comme des amies. Sachant que sa requête a peu de chances d'aboutir, elle se promet d'élaborer un plan d'attaque dès qu'elle aura le temps d'y réfléchir à tête reposée.

Hervé, dont le TGV ne part qu'en fin de matinée, a proposé à Gabriel de le déposer à l'aéroport, et les deux hommes sont les premiers à quitter la propriété. Du haut des marches, Juliette suit des yeux la voiture de location qui s'éloigne, et sa grand-mère vient l'enlacer tendrement.

— Décidément, ils sont devenus inséparables, un vrai petit couple ! s'écrie-t-elle pour dissiper les nuages qui ont envahi le perron.

Après le départ de Delphine et de sa fille, Pierre demande à Juliette de faire quelques recherches pour lui faire gagner du temps, et Edgar file préparer la chambre Nature, qui aura de nouveaux occupants le soir même.

Emma déambule un moment dans les vastes pièces du rez-de-chaussée, en proie au sentiment étrange que donne une maison qui s'est vidée d'un coup. Elle a horreur des adieux et ceux-ci l'ont particulièrement éprouvée, mais elle se console en retrouvant l'espace et le calme auxquels elle est habituée.

Et puis, à l'abri des regards indiscrets, elle va enfin pouvoir vaquer de nouveau à sa tâche.

Il est à peine midi quand Juliette sort de la chambre de l'écrivain. Elle descend au rez-de-chaussée, trouve le salon et la salle à manger déserts, et gagne la chambre de sa grand-mère à pas de loup, au cas où celle-ci dormirait. Mais là encore, elle ne trouve que des pièces vides. Personne non plus dans la cuisine. Une fois dehors, elle remarque que la Smart d'Edgar a quitté son emplacement, et en conclut qu'il a emmené sa Lady M faire des courses. Elle enfourche alors son vélo et prend la direction de Casteljaloux, plus précisément celle de la librairie d'Isabelle.

Comme elle s'y attendait, une file de clients se tient devant la caisse où officie Fabienne, la sœur d'Isabelle. Un peu plus au fond, cette dernière emballe un livre avec soin, tout en renseignant les personnes qui déambulent dans les multiples recoins de la boutique. Un petit banc ancien est installé sur le côté, et Juliette s'y assied, de façon à faire savoir aux deux sœurs qu'elle a tout son temps. Fabienne a un mot gentil pour tous les habitués, s'enquiert de leur famille, de leur santé ou de leurs soucis. « Votre genou, ça va mieux ?... Je sais, c'est très pénible... Et votre fille, elle arrive bientôt ?... C'est bien, ça va vous faire de la compagnie... » En découvrant ces instantanés de vie qui se succèdent, en se laissant bercer par la petite musique de leurs voix à l'accent chantant du Lot-et-Garonne, Juliette éprouve un sentiment d'apaisement. Elle est si lasse de tourner en rond avec ses éternelles inquiétudes. Sa thèse, Hervé, son avenir, sa thèse, son célibat, son avenir… Une vieille dame entre en boitillant, l'air un peu perdu. « Asseyez-vous Colette, on va s'occuper de vous ! » lui lance Fabienne. Juliette lui fait de la place sur le banc où la nouvelle venue se pose en grimaçant. « Il va y avoir de l'orage, c'est sûr, je le sens dans mes rhumatismes », lui confie-t-elle d'un ton catégorique. Isabelle termine son paquet cadeau, le remet à sa cliente et vient apporter un exemplaire de *Sud-Ouest* à Colette. Elle l'aide à faire le tri dans ses pièces de monnaie, puis la raccompagne à la porte et vient planter son regard franc dans celui de Juliette. Pas besoin de longues palabres pour percevoir combien la jeune femme est vulnérable, et comprendre que si elle est venue se faire conseiller un livre, elle a surtout besoin de parler. Pas forcément de ce qui lui pèse ; parler de tout et de rien, de la vie en général, et écouter Isabelle évoquer les derniers romans qu'elle a aimés, et dont elle devine que le sujet la touchera particulièrement.

Lorsqu'elle quitte la librairie, Juliette a le cœur plus léger ; les livres la consolent depuis son enfance et elle sait que ceux qu'elle emporte ne lui feront pas défaut. Et puis, pour la première fois depuis longtemps, elle se sent un peu plus en prise avec la réalité.

Toutes les boutiques ferment à l'heure du déjeuner et les rues se vident d'un coup. La jeune femme décide d'aller s'installer à une terrasse de café et de profiter du calme qui règne sur la place à cette heure où le soleil cuisant a convaincu les vacanciers d'aller faire une sieste. Elle n'a pas pris un repas seule depuis plusieurs semaines, et c'est la première fois qu'elle assimile un déjeuner solitaire à un privilège. Machinalement, elle sort un carnet de son sac et note quelques propos relevés dans la librairie. Elle se demande pourquoi elle en a retenu certains plutôt que d'autres, et d'où lui vient ce besoin de les consigner ; mais ne trouve pas de réponse, et se dit que c'est peut-être une simple envie de garder quelque chose du temps qui passe. Alors qu'elle finit sa salade, 14 heures sonnent au clocher de l'église. Gabriel est à Paris, probablement déjà à son bureau, tandis que le train d'Hervé continue de traverser la France. Au loin se dessine la silhouette des deux sœurs, qui s'apprêtent à se remettre au travail. Elles croisent un homme âgé que Juliette a eu l'occasion de remarquer, car cela fait déjà un moment qu'il arpente la rue. Elles le saluent, et dès qu'elles l'ont dépassé, s'arrêtent pour l'observer un instant. Puis Isabelle reprend seule le chemin de la librairie, tandis que Fabienne rattrape le vieil homme, le prend par le bras et l'entraîne doucement en lui désignant un immeuble qu'il semble soudain reconnaître ; elle l'aide à y entrer, puis en ressort quelques secondes plus tard, et reprend à son tour son chemin.

Le glacier voisin est également en train de rouvrir ses portes, et avant de reprendre son vélo, Juliette va y choisir avec amour les parfums qui enchanteront sa grand-mère. La noisette est incontournable, ainsi que le chocolat blanc au piment d'Espelette – Emma en raffole. Enfin, un litre d'After Eight, la glace chocolat-menthe, ainsi nommée en l'honneur de la Britannique, qui fait partie des meilleurs clients du glacier.

De retour au Mas, Juliette se dépêche d'aller ranger les bacs de glace au congélateur et trouve Edgar occupé à préparer le dîner.

C'est lui qui a accueilli les nouveaux résidents de la chambre Nature, un couple de Néerlandais qui parlent parfaitement le français et souhaitent profiter de la table d'hôtes. Il est bien sorti faire des courses en fin de matinée, mais seul, car c'est en vain qu'il a cherché Emma pour lui proposer de l'accompagner. Il ne l'a pas revue de l'après-midi et était persuadé qu'elle était avec Juliette.

Tous deux échangent un regard perplexe. Encore une disparition. Comment une femme qui ne conduit pas et ne marche jamais plus de dix minutes d'affilée peut-elle s'absenter durant des heures ? Pour faire quoi ? Aller où ? Certes, Emma a toujours une explication, mais elle est rarement convaincante.

Comment insister, sachant qu'elle se défile chaque fois ? De nouveau, Juliette se demande s'il faut craindre qu'une maladie ne soit responsable de ces absences. S'agit-il des premiers signes d'une forme de sénilité ? Le mot est terrible, et la jeune femme ne peut se résoudre à évoquer cette hypothèse auprès d'Edgar. Elle l'imagine déjà, chevaleresque, mettant le reste de sa vie au service de sa Lady M, afin de l'assister jusqu'au bout dans sa chute inéluctable. Loin de la rassurer, cette image la glace. Sans compter qu'elle ne pourrait plus s'en remettre à sa grand-mère pour la débrancher en cas de locked-in syndrome.

Alors que ses pensées se font de plus en plus noires, les pas d'Emma résonnent dans l'entrée. Juliette s'y précipite et reste un moment face à elle, l'examinant avec attention, en quête du moindre indice qui pourrait la renseigner. Mais il n'y a rien de notable dans la tenue de sa grand-mère, aussi élégante qu'à l'accoutumée, et pas un cheveu ne dépasse de son impeccable mise en plis.

Interpellée par la façon dont sa petite-fille la dévisage, Emma reste immobile quelques secondes, durant lesquelles un silence étrange s'installe.

— Bonjour ma chérie, lui dit-elle enfin.

— Où étais-tu ?

— J'ai croisé nos voisins qui partaient faire une course à Casteljaloux ; ils m'ont proposé de m'y conduire et j'ai dit oui. J'avais besoin de changer d'air.

Juliette n'imagine pas une seconde que sa grand-mère ait demandé à des personnes qu'elle apprécie si peu de la conduire en ville, mais elle la laisse poursuivre.

— Tu es partie longtemps, se contente-t-elle d'observer.

— C'est parce que j'ai traîné à la librairie d'Isabelle.

— Ah… Et tu es rentrée comment ?

Un temps.

— J'ai croisé Adèle, il m'a déposée.

Un nouveau silence accueille sa réponse.

— Et toi, tu as fait quoi ?

— C'est drôle, moi aussi, je suis allée à Castel. Et moi aussi, je suis allée voir Isabelle. D'ailleurs, elle m'a demandé de tes nouvelles.

Emma semble accuser le coup, mais elle se ressaisit aussitôt.

— Il y avait tellement de monde ; elle ne m'a peut-être pas remarqué.

— Tu ne lui as pas dit bonjour ? Tu viens de dire que tu y as passé du temps.

— Tu sais ce que c'est là-bas, on ne sait jamais où donner des yeux ; je suis restée un long moment dans le fond, à regarder les papiers à lettres et à essayer des stylos. Elle a dû oublier qu'elle m'avait vue.

— Tu as acheté des choses ?

— Non... J'ai été forte ! Comme je n'avais besoin de rien, j'ai résisté à la tentation. Je suis censée faire des économies, tu te souviens ?

— Bravo, commente Juliette, plus froidement qu'elle ne l'aurait souhaité.

Pour la première fois, sa grand-mère baisse les yeux.

— Je suis fatiguée, je vais me reposer un peu avant le dîner.

Elle regagne rapidement ses appartements et ferme la porte derrière elle.

Restée seule, Juliette réfléchit. Rien dans les réponses d'Emma ne porte la marque de la confusion avec laquelle s'exprime une personne qui aurait perdu la tête ; rien dans son attitude ne lui semble relever d'une quelconque pathologie.

Il est inutile qu'elle aille demander aux voisins s'ils l'ont bien accompagnée en ville ; elle est sûre de leur réponse, et redoute par avance les questions qu'ils lui poseraient en retour. Même chose pour Abdel.

La jeune femme prend lentement le chemin de sa chambre, la boule au ventre. Que sa grand-mère lui cache certaines choses, c'est son droit le plus strict. Mais il ne s'agit pas de ça.

Emma lui raconte des histoires. Délibérément.

Juliette reste seule un moment, puis elle se rend dans la cuisine afin d'aider Edgar à préparer le dîner. Bien qu'elle brûle d'envie de lui raconter l'échange qu'elle vient d'avoir avec sa grand-mère, elle résiste à la tentation ; ces nouvelles incohérences le troubleraient autant qu'elle, et lui non plus ne saurait pas les expliquer, ni quelle attitude adopter. Soudain, le doute l'assaille.

Peut-être qu'elle se trompe, après tout. Et si sa grand-mère disait la vérité ? Si, sachant qu'elle passera désormais l'essentiel de son temps dans le Lot-et-Garonne, elle avait résolu de s'habituer à faire de longues marches, et de trouver le moyen de se faire véhiculer sans dépendre toujours des mêmes personnes ? Ce serait plutôt une bonne chose qu'elle devienne un peu plus autonome, surtout qu'en sa compagnie, n'importe quelle sortie a tendance à devenir interminable. Lorsqu'elle se promène, Emma regarde autour d'elle, admire les détails, observe les passants, s'étonne et s'intéresse. Lorsqu'elle s'assied à une terrasse de café, elle aborde n'importe lequel de ses voisins s'ils lui sont sympathiques, ce qui donne parfois lieu à de longues conversations entrecoupées de prises de vue, car au fond de son sac se trouve un vieux Leica, avec lequel elle photographie toutes les personnes qu'elle juge dignes d'intérêt. Durant des années, elle a rassemblé ses meilleurs clichés dans d'énormes albums en cuir où se mêlent des individus qui n'auraient jamais pu se rencontrer ailleurs : le prince Charles y côtoie une famille de Péruviens marchant sur une route déserte, et le visage de l'émir du Koweït se glisse parmi ceux des joueurs de l'équipe de rugby de Bayonne, qu'Emma a croisés à l'aéroport de Bordeaux et qu'elle a fait poser l'un après l'autre à la faveur d'un vol retardé. Cela fait longtemps qu'elle n'a pas pris le temps de composer un nouvel album et les pellicules s'accumulent dans un tiroir, mais ce n'est pas pour cela qu'elle cesse de prendre des photos. Enfin, si les promenades d'Emma s'étirent à l'infini, c'est parce que les SDF qui croisent son chemin ne la laissent jamais indifférente. Comme l'a constaté Edgar : « Ça prend du temps de marcher dans les rues avec Lady M, parce qu'elle s'arrête dès qu'elle voit un malheureux pour lui donner de l'argent et échanger quelques politesses avec lui, or il y en a beaucoup. Ça prend du temps et ça coûte cher. » Une prodigalité qu'il déplore depuis qu'il mesure l'étendue de sa banqueroute, mais dont il se réjouit en cachette, car si Emma mettait un terme à ses largesses, elle ne serait plus vraiment sa Lady M.

Se sentant coupable à l'idée d'avoir peut-être jugé trop hâtivement sa généreuse grand-mère, Juliette décide d'aller la voir afin de dissiper le malaise qui a pesé sur leur dernière entrevue.

L'heure du repas approche et Emma est sans doute en train de se préparer. Lorsque Juliette entre dans sa chambre, le lit est défait et un bruit de douche s'échappe de la salle de bains.

Sur la table de nuit, un exemplaire du *Herald Tribune*. La jeune femme le déplie délicatement, en quête de la date de publication. Si c'est celle de la veille, sa grand-mère l'a acheté aujourd'hui et ne lui a pas menti.

Mais non, il remonte à la semaine précédente, et Juliette reconnaît la une du quotidien qu'elles ont acheté ensemble la dernière fois qu'elles sont allées chez Isabelle.

Le son de l'eau qui coule s'arrête, et Juliette repose précipitamment le journal ; elle se rend dans le boudoir et se laisse tomber sur le canapé.

Au fond, elle n'a rien appris. Puisque sa grand-mère n'a pas mentionné le *Herald Tribune,* le fait qu'elle n'en possède pas d'édition récente ne prouve pas qu'elle ait menti en disant s'être rendue à la librairie. Juliette pousse un profond soupir.

Rêveuse, elle passe en revue les semaines qui se sont écoulées depuis qu'elle a quitté Paris. Le bilan n'est pas flatteur. Non seulement elle n'a pas préparé sa soutenance, mais alors qu'elle était censée se refaire une santé, elle est devenue accro aux antidépresseurs et boit tous les jours avec un enthousiasme sans cesse renouvelé ; à ce rythme, elle sera alcoolique avant la fin de l'année. Et voilà qu'elle commence à espionner sa grand-mère. Décidément, son CV n'arrête pas de s'enrichir de nouveaux vices ; si elle ne parvient jamais à soutenir sa thèse, elle pourra peut-être tenter sa chance dans la mafia russe.

Vêtue d'un peignoir, Emma apparaît dans l'embrasure de la porte. Elle sursaute en apercevant sa petite-fille.

— Tu es là ! Tu m'as fait peur… Comme ton père qui m'attendait là l'autre soir. Tu vas bien ?

— Oui, désolée, je pensais que tu serais en train de te maquiller ; je voulais te tenir compagnie.

Le visage de sa grand-mère s'éclaire.

— Quelle bonne idée, ma chérie ! Assieds-toi bien, mets-toi à l'aise !

Elle attrape une boîte de truffes et la lui tend avec une mine réjouie.

— Non merci, Granny, on va bientôt dîner !

Pour toute réponse, Emma en enfourne une dans sa bouche, et ferme les yeux, toute au plaisir que lui procure la dégustation. Juliette est désarmée par sa chaleur et son attitude si innocente. Elle s'est trompée, c'est certain.

— Tu as rencontré nos nouveaux hôtes ? lui demande sa grand-mère en prenant place à sa coiffeuse.

— Pas encore.

— Moi non plus. Mais je les ai vus… et entendus ! précise-t-elle d'un air mystérieux.

— C'est-à-dire ?

— Tout à l'heure, ils sont descendus s'installer dans les transats du jardin. Je les ai observés d'ici. Ça n'a pas l'air d'aller très fort entre eux. Je n'ai rien compris à ce qu'ils se disaient étant donné que c'était du néerlandais, mais le ton sur lequel ils se parlaient m'a semblé extrêmement tendu, voire agressif…

— Edgar les a trouvés charmants. Alors je suppose qu'ils auront le bon goût de ne pas s'engueuler à table.

— Figure-toi qu'il est plutôt bel homme...

Elle sourit à sa petite-fille, qui la regarde sans comprendre.

— Très séduisant même, je crois qu'il pourrait te plaire...

Juliette hausse les épaules.

— Un homme marié, qui habite probablement aux Pays-Bas ! C'est ce qu'on appelle un profil idéal...

— Crois-en mon expérience, on ne sait jamais ce que la vie nous réserve. Alors il faut mettre toutes les chances de son côté. Approche, je vais te maquiller et tu iras mettre une jolie robe...

— J'espère que tu plaisantes ! s'écrie Juliette, outrée. Il n'est pas question que je me fasse belle en vue d'un dîner avec un type marié – en présence de sa femme en plus !

— Arrête le politiquement correct, il n'y a rien de moins sexy, ma chérie ! C'est fou ce que tu ressembles à ton père, dit-elle en reprenant une truffe.

— Ce n'est pas une question de politiquement correct, mais de morale élémentaire !

— C'est bien ce que je disais, soupire Emma, tout le portrait de ton père. Au fait, tu ne lui diras rien, hein ? Il m'a encore parlé de mon cholestérol, ajoute-t-elle en désignant la boîte de truffes presque vide.

Juliette soupire. Décidément, sa grand-mère est toujours aussi ingérable. Déstabilisante, fantasque et provocatrice, oui... Mais folle, non.

Conformément aux dires d'Edgar, les deux Néerlandais sont très sympathiques, mais contrairement à ceux d'Emma, ils semblent très amoureux. Certes, Yann est bel homme, mais il ne plaît pas à Juliette, et c'est bien la seule bonne nouvelle de la journée. À la fin de l'apéritif, elle taquine discrètement sa grand-mère quant à la supposée mauvaise entente du couple, mais il en faut plus pour que celle-ci admette avoir affabulé.

— Ce doit être parce qu'ils parlaient en néerlandais, c'est tellement guttural ! Et ces accents toniques, ça me terrifie !

Juliette et Pierre n'ont pas l'intention de laisser Yann et sa femme Hendrika croire que les Savora sont une juste représentation de leurs compatriotes. Ils prennent donc le contrôle de la conversation, bien aidés par Emma, qui semble être devenue experte dans l'art de minimiser les interventions de ses hôtes indésirables. Bien que Juliette soit moins tendue depuis leur petit tête-à-tête, elle ne peut s'empêcher d'épier les faits et gestes de sa grand-mère, et est la seule à remarquer une scène qui la laisse bouchée bée. Alors que Frédéric s'apprête à se resservir, Emma, faisant comme si elle n'avait rien vu, lui rafle le plat de moussaka sous le nez et va le rapporter en cuisine. Sa grand-mère n'a aucune sympathie pour lui, certes, mais de là à lui retirer le pain de la bouche… Dire que Juliette a conseillé à sa grand-mère de faire preuve de moins de formalisme avec ses hôtes, il faut croire qu'elle suit un peu trop ses conseils…

À la fin du repas, les Savora sont les seuls à demander un café, et sa petite-fille s'étant absentée, la Britannique se voit contrainte de prolonger la soirée avec eux. Elle expédie la corvée à coups de bâillements expressifs, et pour hâter le mouvement, prend même la peine d'accompagner ses hôtes jusqu'au bas de l'escalier. En remontant, ils croisent Juliette qui rattrape Emma alors qu'elle s'apprêtait à entrer dans la cuisine.

— Je n'arrive pas à croire que tu m'aies laissée seule avec l'ennemi, chuchote sa grand-mère. Tu as filé dès la dernière bouchée avalée !

— J'ai réalisé que j'avais oublié de rappeler papa, il m'avait laissé deux messages, se défend Juliette. Tu fais quoi ?

— Rien, pourquoi ?

— Tu allais à la cuisine, non ?

— Oui, parce que je te cherchais !

Les deux femmes se souhaitent une bonne nuit, et Juliette reprend la direction de l'escalier. Elle monte au premier étage, ouvre la porte de sa chambre, mais la referme sans y être entrée. Sur la pointe des pieds, elle regagne l'escalier, éteint la lumière, et descend quelques marches. Arrivée à mi-chemin, elle s'assied. De là où elle se trouve, elle jouit d'une vue plongeante sur l'entrée et la cuisine, et attend patiemment, à l'affût du moindre bruit, persuadée qu'Emma ne tardera pas à revenir. Assise dans la pénombre, elle éprouve le même malaise que plus tôt, lorsqu'elle fouillait dans ses affaires, et se jure que si elle s'est trompée, c'est la dernière fois de sa vie qu'elle se permet d'espionner sa grand-mère.

Une porte s'ouvre au rez-de-chaussée, donnant raison à son instinct. De sa démarche souple, l'ancienne danseuse traverse le hall sans allumer la lumière ; plus surprenant encore, elle éteint toutes les veilleuses qui éclairent le jardin. Puis elle se rend dans la cuisine et referme la porte derrière elle. Des bruits de vaisselle manipulée avec grand soin se font entendre, et quelques minutes plus tard, Emma ressort, laissant cette fois la porte ouverte. Elle va ouvrir en grand celle de la maison, retourne dans la cuisine, et réapparaît tenant un plateau, sur lequel sa petite-fille distingue nettement le plat de moussaka soustrait à Frédéric.

Incapable de contenir sa curiosité plus longtemps, Juliette se lève d'un bond et dévale les marches de l'escalier, arrachant un cri de frayeur à sa grand-mère qui manque de s'étaler avec son plateau.

— Où vas-tu ?

Emma pose son plateau sur une commode, et s'évente le visage des deux mains.

— Mais c'est une manie décidément ! J'ai failli avoir une crise cardiaque !

— Je suis désolée, Granny, mais moi aussi j'ai été surprise... C'est quoi ce plateau ?

— Tu es de la police ? lui demande-t-elle avec humeur.

— Réponds-moi, je suis inquiète.

— Inquiète de quoi ?

— Je ne sais pas, ton attitude est tellement bizarre... Tu allais dîner une deuxième fois ?

— Mais non, voyons...

— Alors qu'est-ce que tu fais ? Tu peux tout me dire, tu sais.

— Te dire quoi ?

— Tu as des troubles alimentaires ? Je peux t'emmener consulter, si tu veux ; tu es peut-être en train de devenir boulimique-anorexique...

— À mon âge ? s'amuse Emma. C'est un peu tard non ? Enfin, merci pour la suggestion, ça me rajeunit !

— Alors dis-moi la vérité, insiste Juliette.

— C'est tout simple... J'ai adopté un petit chat adorable et affamé. Tous les soirs, je lui apporte à manger, et c'est ce que j'allais faire. Voilà, tu sais tout.

Juliette regarde le plateau. Si tous les chats étaient nourris de la sorte, quel intérêt y aurait-il à être né parmi les humains ?

— Il mange de la baguette, ton petit protégé ? C'est pour qu'il puisse saucer, peut-être...

— La baguette, c'est pour moi ; pure gourmandise. Il faut que je demande ton autorisation pour manger un morceau de pain ?

— Mais non. Je peux t'accompagner ?

— Il vaut mieux éviter, il est très sauvage et j'ai peur qu'il ne s'enfuie s'il voit quelqu'un qu'il ne connaît pas. Patiente encore quelques jours et quand il sera bien habitué à moi, je t'emmènerai, promis.

— Mais pourquoi as-tu éteint les veilleuses si tu sors dans le jardin ?

— Quelle question ! Pour les voisins ! Tu devrais me féliciter de mes efforts pacifistes au lieu de me persécuter.

Juliette bat en retraite et se dirige vers l'escalier, tandis que sa grand-mère reprend son plateau. Une nouvelle fois, elle a eu réponse à tout ; pourtant sa petite-fille n'est guère convaincue. Elle envisage un moment de la suivre, mais ses scrupules l'en empêchent – et puis Emma va être sur ses gardes, maintenant.

De retour dans sa chambre, Juliette se met à la fenêtre et scrute le jardin. Les nombreuses étoiles donnent un peu de lumière, mais pas suffisamment pour qu'elle puisse discerner quoi que ce soit.

Alors qu'elle peine à s'endormir, elle entend une porte s'ouvrir et reconnaît le pas de Pierre qui traverse le palier puis descend l'escalier. Où va-t-il, lui aussi ? Une minute plus tard, il est déjà en train de remonter, et Juliette en conclut qu'il a dû aller prendre un verre d'eau dans la cuisine.

Quant à l'écrivain, il va se recoucher, perplexe, en se demandant qui a bien pu éteindre toutes les veilleuses.

Emma est de fort bonne humeur. Au-dessus de sa tête, les talons de Patricia n'arrêtent pas de claquer et elle perçoit nettement le bavardage incessant de Frédéric, mais sachant que cette agitation est due à leur départ imminent, aucune de ces nuisances ne vient gâcher son petit déjeuner.

Assis à côté d'elle, Edgar prend un café tout en ouvrant le courrier.

— On dirait que le Mas commence à faire parler de lui : vous êtes invitée à une réception à la mairie, une soirée en l'honneur des commerçants qui valorisent le plus la région.

— Commerçants ? Décidément, je ne m'y ferai jamais, soupire-t-elle avec philosophie. Peu importe, nous irons ensemble, parce que si ça marche, c'est grâce à vous ! On emmènera Juliette, au cas où le maire serait célibataire.

— À ma connaissance, c'est le cas, mais il s'agit d'une femme.

— Et alors ? Juliette ne mangeait pas de foie de veau quand elle était petite et maintenant, elle en raffole !

Edgar accueille cette comparaison avec un soupir de profonde lassitude, et il pose le carton sur la pile destinée à la corbeille.

— Non, ne le jetez pas, j'aimerais vraiment qu'on y aille tous ensemble. Et je suis sérieuse : il faut que je trouve quelqu'un pour Juliette, j'en ai assez de la voir se morfondre...

— À propos, votre amie Abigail a téléphoné de Londres, il faudrait que vous la rappeliez.

— Qu'est-ce qui lui arrive encore ? La pauvre, elle a tout le temps des problèmes avec sa famille. Ça fait des semaines que sa bru a disparu pour participer à une émission de téléréalité et son fils doit s'occuper de la maison et des enfants en plus de son travail ; alors forcément, elle passe son temps à l'aider et elle est sur les rotules. Quant à sa fille, elle a épousé un pêcheur qui s'est converti à l'hindouisme. Figurez-vous que depuis, il ne veut plus aller à la pêche parce qu'il est devenu végétarien et refuse de tuer des poissons. Du coup c'est elle qui doit subvenir à leurs besoins... Je crois que c'est la seule de mes amies qui est encore plus fauchée que moi.

— Cette fois, il s'agit de son neveu ; il a des problèmes avec son épouse et elle voulait savoir si on a une chambre pour eux. Elle pense qu'un séjour ici leur ferait le plus grand bien.

— Excellente idée ! Je connais son neveu, il est charmant. Qu'ils viennent, on les poussera à bout, comme ça ils décideront de rompre et la voie sera libre pour Juliette.

La figure décomposée d'Edgar se dessine dans le miroir.

— Je désapprouve totalement, Lady M !

— C'est pourtant pour la bonne cause, s'excuse Emma en arborant un sourire angélique.

Edgar se lève et commence à débarrasser. Alors que d'ordinaire, ses gestes sont si précis et délicats, la contrariété les rend brusques et il heurte une assiette en la posant sur la crédence, la brisant en deux. Peinte à la main, elle fait partie d'un des services préférés d'Emma et est irremplaçable, mais son vieil ami semble si catastrophé qu'elle en oublie son propre désagrément.

— Ne vous inquiétez pas, Edgar, on ne m'enterrera pas avec !

Et elle éclate de rire comme s'il s'agissait d'une joyeuse perspective.

— Je suis vraiment confus...

— Ça ne fait rien, je vous assure, c'est juste une assiette.

Mais rien ne console le maître d'hôtel, et Emma en vient à le menacer d'en casser une elle-même, comme elle l'avait fait pour intimider les jumeaux. Dans la mesure où son geste l'a bien plus traumatisé que les enfants, il consent à se détendre un peu, puis se recompose une mine impassible dès qu'il entend les Savora descendre l'escalier.

Patricia porte ses habituels stilettos, mais Frédéric est chaussé de claquettes qui résonnent dans l'entrée et l'escalier, au rythme des allers et retours qu'il effectue afin de porter les bagages dans sa voiture. Edgar aurait bien aimé l'aider, mais Patricia ayant agité sa carte de crédit d'un geste ostentatoire, il s'est dépêché de l'emmener régler sa note à l'abri des regards d'Emma, qui continue à trouver cette formalité extrêmement pénible et se tient bien droite dans l'entrée, attendant sa délivrance. À chaque pas de Frédéric, un petit claquement de plastique résonne dans la maison, et la Britannique se décompose un peu plus. Lors de son dernier passage, il vient se planter devant elle et lui adresse un petit sourire de connivence.

— J'aime bien avoir les pieds au frais pour faire de la route, lui explique-t-il. Au fait, vous voulez voir mon pied grec, maintenant qu'on n'est plus à table ?

— Bon voyage ! lance Emma en guise de réponse.

Et elle se hâte de regagner sa chambre.

La canicule qui sévit dans la région fait la une de tous les journaux, et pour la première fois depuis un long moment, le Mas est déserté par tous ses résidents, partis en quête d'un peu d'air frais.

L'écrivain s'étant proposé de faire le plein de glaces et de sorbets, Juliette en a profité pour lui faire découvrir la librairie d'Isabelle, tandis que Yann et Hendrika passent la journée aux thermes de Casteljaloux. Enfin, Edgar a emmené sa Lady M faire des courses à Marmande. Ils sont les premiers à regagner la propriété, où ils trouvent Jean-Claude et Magali, sur le point de rebrousser chemin.

— Vous tombez bien ! s'exclame la masseuse. Je suis venue vous donner mes cartes de visite pour les distribuer à vos clients.

Emma descend de voiture et marche vers eux d'un pas décidé. Entre la chaleur étouffante et la musique s'échappant de chez eux, elle n'a pas fermé l'œil de la nuit et n'est pas disposée à faire de la publicité à ceux qu'elle n'a jamais cessé de suspecter d'être des dealers et qui, en tout état de cause, semblent vouer un véritable culte au céleri et aux navets, ce qui ne plaide guère en leur faveur.

— Vous avez encore écouté de la musique jusqu'à l'aube ; ça m'a empêchée de dormir, et je suis sûre que ça a dérangé mes hôtes.

— Si ça les avait vraiment gênés, ils vous l'auraient dit, rétorque Magali. De toute façon, personne n'a réussi à dormir cette nuit, il faisait trop chaud. Et je parie que le concert leur a plu !

— J'en doute. Si au moins c'était de la bonne musique ! Il y a un couple de Néerlandais qui séjourne chez moi ; tant qu'à subir un concert en pleine nuit, j'aurais préféré qu'ils écoutent de la musique française, Jacques Brel par exemple...

— Brel était belge, corrige Jean-Claude, pragmatique.

Comme souvent lorsqu'elle a tort, Emma préfère ignorer la remarque de son interlocuteur.

— N'est-ce pas que Yann et Hendrika préféreraient écouter des chanteurs francophones ? crie Emma, prenant Edgar à témoin.

Pas de réponse. Elle se retourne, et s'aperçoit alors que le maître d'hôtel n'est pas sorti de la Smart. Sa portière est grande ouverte, mais il est toujours assis, la tête baissée, dans une attitude d'abandon qui n'a rien de naturel.

— Edgar ? Vous allez bien ? lui crie-t-elle.

L'intéressé redresse lentement la tête et lui adresse un vague signe de la main. Puis il sort ses jambes de la voiture, ce qui semble lui demander un effort considérable, s'élance en avant pour se lever, et s'effondre sur les graviers.

Emma se précipite, Magali et Jean-Claude à sa suite, mais tous trois se révèlent impuissants à faire quoi que ce soit ; aucun d'entre eux n'est en mesure de déterminer si Edgar a été victime d'un simple malaise causé par la canicule ou s'il s'agit d'un infarctus, et personne ne connaît les gestes de premiers secours.

S'ensuivent quelques minutes de panique ; les voisins sont venus sans leur portable et le Mas est fermé à clé. Dans l'affolement, Emma oublie l'existence du double caché à l'arrière de la maison, et comme tous les volets sont clos pour faire barrage à la chaleur, aucune fenêtre n'est accessible. Jean-Claude part donc chez lui en courant afin d'appeler une ambulance.

Agenouillée auprès d'Edgar, Emma lui tient la main.

— C'est trop long… Trop long… gémit-elle.

Soudain, elle se reprend, semble réfléchir un instant, puis se relève. Chaque seconde compte, sa décision est prise.

Sous les yeux ébahis de Magali, elle court jusqu'au garage dont elle fait lestement basculer la porte, disparaît à l'intérieur, pour en ressortir presque aussitôt, accompagnée d'un couple d'une trentaine d'années. En quelques secondes, l'homme s'est agenouillé auprès d'Edgar, lui prodigue un massage cardiaque et lui fait du bouche-à-bouche en attendant l'arrivée des secours, tandis que sa femme a passé son bras autour d'Emma et tente visiblement de la réconforter à voix basse. À leurs côtés, Magali et Jean-Claude, revenu sitôt son appel passé, observent la scène en se demandant qui peut bien être cet homme sorti de nulle part – ou du garage, ce qui revient à peu près au même – et qui se dépense sans compter pour tenter de ranimer le maître d'hôtel.

La sirène annonçant l'arrivée des pompiers ne se fait guère attendre, et l'équipe médicale qui prend Edgar en charge établit rapidement son diagnostic. C'est bien d'un infarctus dont il a été victime ; il semble tiré d'affaire, notamment grâce aux premiers soins qu'il a reçus, mais son état nécessite une hospitalisation.

Tandis que s'organise le transfert du patient, un secouriste vient interroger les témoins. Il souhaite entre autres savoir combien de temps a duré le massage cardiaque, mais lorsqu'il s'adresse à l'inconnu, c'est Emma qui prend la parole à sa place.

— Ils ne parlent pas français, ce sont des Néerlandais qui séjournent dans ma chambre d'hôtes, explique-t-elle. Mais j'étais présente à chaque instant, je peux tout vous raconter.

Debout près d'elle, Magali et Jean-Claude écoutent avec attention le témoignage d'Emma et échangent un regard entendu. Contrairement aux fantasmes de la Britannique, ils ne sont jamais allés en Inde, ni dans le Triangle d'or, ni même ailleurs qu'en France, mais une chose leur semble évidente : ce couple au teint mat n'est pas originaire des Pays-Bas. Pas plus que les clients du Mas ne sont logés dans le garage.

Lorsque l'infirmier se tourne vers ses voisins, le visage d'Emma, déjà marqué par l'angoisse, se creuse encore plus, et Magali y lit sa crainte que leur version ne diffère de la sienne.

Alors, discrètement, elle lui adresse un petit signe rassurant et confirme ses propos, en omettant bien de préciser que ce n'est pas tout à fait dans sa maison que la propriétaire des lieux est allée chercher de l'aide.

À leur retour au Mas, Juliette et Pierre s'étonnent de trouver porte close. Où peuvent bien être Edgar et Emma, sachant que la Smart est garée à sa place, et qu'il fait bien trop chaud pour qu'ils soient partis se promener ? Juliette leur téléphone, mais leurs mobiles sont tous les deux éteints. Comme si ce n'était pas suffisant que sa grand-mère disparaisse à tout bout de champ ! Il ne manquerait plus qu'Edgar se mette à en faire autant. Au bout d'une heure, n'y tenant plus, elle va rôder autour de la voiture, en quête d'un indice susceptible de la renseigner sur la direction qu'ils ont prise. Lorsqu'elle remarque que les sacs de courses ont été laissés dans le coffre malgré une température qui avoisine encore les 35 degrés en fin d'après-midi, elle devine qu'il s'est passé quelque chose d'inhabituel. Autour de la voiture, les graviers ont été piétinés, dérangés, et le sol porte les traces d'un va-et-vient intense. Franchement inquiète, elle rentre dans la maison et monte se confier à Pierre. Alors qu'ils s'apprêtent à partir à la recherche des absents, ils distinguent le moteur d'un véhicule à l'approche et se précipitent à la fenêtre. Juliette reconnaît alors la Twingo de Magali, qui entre sur la propriété et dépose sa grand-mère à la porte.

Emma semble exténuée ; elle monte lentement les marches du perron, puis s'appuie au chambranle de la porte avant d'entrer. Pour la première fois, elle apparaît comme une vieille dame aux yeux de Juliette. Elle dévale l'escalier en compagnie de l'écrivain, et d'un même élan, tous deux lui prennent le bras pour l'accompagner au salon. Durant quelques minutes, elle semble trop éprouvée pour parler et ils restent silencieux. Juliette lui sert un verre d'eau qu'elle boit peu à peu, le temps de retrouver ses esprits, puis elle prend enfin la parole.

Emma raconte la crise cardiaque d'Edgar en présence des voisins, l'arrivée des pompiers appelés par Jean-Claude, puis le transfert du maître d'hôtel au centre hospitalier de Marmande, où elle l'a accompagné. Ce n'est qu'après avoir livré un bulletin de santé précis de son vieil ami qu'elle retourne en arrière et explique que si Edgar a eu la vie sauve, c'est grâce à l'homme qui lui a administré les premiers secours, et qu'elle est allée chercher dans son garage où elle le cachait, ainsi que sa femme, depuis plusieurs jours déjà.

Ces derniers propos sont si invraisemblables que Pierre doute un instant d'avoir bien compris. Emma reprend, mettant le plus grand soin à s'exprimer avec un certain naturel ; mais même prononcés d'un ton dégagé, ses mots font toujours l'effet d'une bombe.

— Mais d'où ils sortent ? lui demande Juliette, ahurie.

— Je les ai rencontrés un jour où je me promenais dans la forêt. Je marchais sur le sentier et je les ai aperçus au loin. Quand ils ont vu que je les avais repérés, ils ont paniqué. Ils étaient accompagnés d'une femme que je connaissais un peu ; on s'était croisées en ville plusieurs fois et elle est venue me parler. Elle m'a expliqué que c'étaient des Roms qui avaient demandé un titre de séjour et attendaient la réponse. Jusque-là, ils étaient hébergés chez un monsieur, mais il a été dénoncé et ils ont été obligés de partir. La dame fait partie d'un comité de soutien et les aidait à chercher un endroit où ils pourraient camper en attendant de leur trouver un logement.

— Mais c'est dingue ! Tu leur as proposé de venir ici, comme ça, sans les connaître ?

— Il s'appelle Azlan. Sa femme, c'est Levna.

— Mais tu ne les connaissais pas, tu aurais pu tomber dans un traquenard ! Comment as-tu pu prendre une décision pareille ?

Juliette est nerveuse, bouleversée, et Emma sourit, cherchant à faire un peu retomber la tension.

— J'ai commencé par me demander : « Que ferait Hercule Poirot ? »

— Vous vous êtes vraiment posé cette question ? s'amuse Pierre.

— Et pourquoi pas ! Je suis anglaise, tout de même !

— Alors, qu'aurait fait M. Poirot ?

— Comment voulez-vous que je le sache, il résolvait des énigmes, il ne dirigeait pas un centre d'aide sociale ! C'était une question stupide, mais pas inutile, car elle m'a permis de prendre du temps pour réfléchir. Pour l'arnaque, j'avoue que je n'y ai pas pensé ; ils m'ont paru vraiment sincères, je n'ai pas imaginé une seconde qu'ils pouvaient être en train de mentir. Ils avaient l'air tellement effrayés… Un sentiment qui ne trompe pas. Peu importe ce qu'aurait fait Hercule Poirot, je savais ce que devait faire Emma Dubreuil. Je ne pouvais pas rentrer chez moi, reprendre ma petite vie comme si de rien n'était et les laisser comme ça, seuls dans la nature, terrifiés à l'idée de se faire surprendre. Alors je leur ai proposé de se cacher dans le garage en attendant que l'association leur trouve une solution.

Le désarroi de Juliette se fait plus profond encore. Pour elle, le plus étonnant n'est pas que sa grand-mère ait pu prendre un risque pareil, mais qu'elle l'ait assumé seule, sans la consulter ou simplement chercher son soutien.

— Si tu m'en avais parlé, je t'aurais aidée. Pourquoi tu ne m'as rien dit ?

— Je ne sais pas, moi ! Peut-être pour ne pas empiéter sur les plates-bandes de ta mère ; c'est elle, la mère Teresa de la famille, pas moi !

— Et Edgar, tu le lui as dit ?

— Bien sûr que non. Je ne pouvais pas lui en parler ; je savais que j'aurais des ennuis s'ils étaient découverts, je ne voulais pas vous mêler à tout ça… Le pauvre Edgar, c'est à cause de moi s'il est malade ; il travaille trop, et moi, comme une imbécile, je passe mon temps à l'énerver…

Emma s'interrompt et s'enfonce dans le canapé, incapable d'entendre les mots de Juliette qui tente de la rassurer. Depuis le malaise d'Edgar, elle est dévorée par la culpabilité en pensant à son dévouement, sa loyauté, la générosité avec laquelle il s'est dépensé sans compter depuis l'ouverture du Mas… Et aussi à l'indulgence absolue dont il a toujours fait preuve à son égard. En retour, selon son habitude, elle le taquine, s'amuse à le titiller avec ses éternelles provocations. Depuis quarante ans, elle se comporte comme une ado qui chercherait à repousser les limites face à celui qui est le plus fidèle des amis, et ce constat l'afflige.

Devant son trouble, l'écrivain comprend que l'apaisement ne pourra sans doute venir que d'Edgar lui-même, et il détourne la conversation pour revenir au couple de clandestins.

— Une fois qu'ils ont vécu ici, comment ça s'est passé ? lui demande-t-il. Ils sortaient souvent du garage ?

— Presque jamais, c'était trop risqué. Virginie, la dame du comité, m'a proposé de leur apporter des vivres mais c'était impossible, la maison est toujours pleine ! Elle est venue une fois, tard dans la nuit, pour déposer des produits de première nécessité, et je me suis chargée de les nourrir.

— Comment ?

— Je suis allée me ravitailler chez les producteurs du coin ; c'est pour ça que je restais seule dès que j'en avais l'occasion, pour pouvoir y aller sans être vue. Mais ça n'est arrivé que deux fois. Et c'était tellement fatigant ! J'ai trouvé plus simple d'attendre d'être seule pour leur apporter à manger.

Chacun à leur tour, Juliette et Pierre évoquent la fois où ils ont surpris Emma portant un plateau bien garni, et les différentes interprétations auxquelles ils se sont livrés. Pierre éclate de rire en entendant la version du chat affamé, affublé en prime d'un morceau de baguette pour saucer le plat.

— J'ai détesté raconter n'importe quoi, avoue la Britannique. Encore plus quand j'ai soutenu à Juliette que j'étais allée voir Isabelle, alors qu'elle savait que je lui mentais.

— Ça aurait été tellement plus simple que tu me dises la vérité, insiste sa petite fille.

— Je ne pouvais pas faire ça, répète Emma. Et puis au départ, Virginie m'avait dit qu'il ne s'agissait que de deux ou trois jours ; si j'avais su que ça durerait plus longtemps, j'aurais refusé.

— Et pour se laver, ils faisaient comment ? demande Pierre.

— Il y a un robinet dans le garage, et ils ont utilisé ma douche quand il n'y avait personne à la maison.

Juliette regarde sa grand-mère comme si elle la voyait pour la première fois. Imaginer cette femme maniaque, habituée à vivre seule, partageant sa salle de bains avec des étrangers en situation illégale lui semble tout simplement surréaliste.

— J'avais si peur qu'ils ne soient découverts et qu'on les envoie en prison, soupire sa grand-mère. Tout à l'heure, quand je suis allée chercher Azlan devant Magali, je me suis dit que c'était fichu. On était en train de se disputer à cause de leur musique et je savais qu'elle pouvait me dénoncer... Un simple mot à l'infirmier qui a pris nos témoignages aurait suffi...

— Mais elle n'a rien dit, lui rappelle doucement Juliette.

— C'est vrai. Je l'avais vraiment... mal jugée. En plus, elle a suivi l'ambulance et m'a attendue pour me ramener. Ça m'a fait chaud au cœur. C'est quelqu'un de bien.

— Elle, oui, mais n'importe qui d'autre aurait pu les surprendre et te dénoncer. Tu t'es demandé ce que tu aurais fait si des flics avaient débarqué ?

— Oh oui ! Souviens-toi, lorsque Hervé a téléphoné pour réserver : il était tellement bizarre que j'ai cru que c'était un policier !

— Et si c'en avait été un et qu'il avait voulu fouiller la maison et le garage ? demande l'écrivain.

— Je l'aurais assommé. Un point c'est tout. Je vous l'accorde, je n'en aurais sans doute pas été capable, mais c'est la seule solution que j'avais trouvée. Ah ! J'avais aussi pensé à essayer de le soudoyer, mais je n'avais pas la moindre idée de la somme à lui proposer.

— Tentative de corruption, de mieux en mieux !

À ce stade, Juliette n'est plus en mesure de dire si sa grand-mère est sérieuse ou si elle plaisante, mais elle renonce à lui poser la question et se contente de pousser un profond soupir.

— Vous avez pris un risque énorme, reprend Pierre. Je ne sais pas si j'en aurais été capable.

— Bien sûr que si ! Je n'allais tout de même pas laisser Edgar mourir sans tout mettre en œuvre pour le sauver, vous auriez fait pareil.

— Je ne parle pas de ça, je parle de votre décision d'héberger des clandestins. Je me demande si vous mesuriez vraiment les conséquences…

— Je les mesurais très bien.

— Alors qu'est-ce qui vous a motivée ?

— Je vous l'ai dit : je ne pouvais pas les laisser comme ça.

Pierre secoue la tête.

— Il y a autre chose. Vous avez voulu les aider, et ça vous honore. Mais prendre des risques pareils pour des inconnus... Vous leur avez accordé votre confiance, vous avez sacrifié votre confort, marché des kilomètres pour leur acheter à manger, vous avez menti à vos proches... Vous avez dépassé tout ce que vous êtes pour cacher ces gens, et je ne peux pas m'empêcher de croire que c'est quelque chose de plus profond que l'envie d'aider son prochain qui vous a guidée.

Emma ne le contredit pas. Son visage est grave tandis qu'elle se perd dans ses pensées. Ni l'écrivain ni Juliette ne la relancent, sentant instinctivement que s'ils la pressaient de questions, ils perdraient toute chance de l'entendre y répondre, et en effet, au bout de longues minutes, c'est elle qui rompt le silence.

— Ma mère, dit-elle simplement.

C'est vers Pierre qu'elle se tourne pour poursuivre, comme si elle était trop émue pour pouvoir regarder Juliette à cet instant.

— Elle était allemande. J'ai grandi pendant la Seconde Guerre mondiale, dans la banlieue de Londres. Ça n'a pas été facile pour mes parents. Ma mère a été rejetée, isolée, y compris après la fin du conflit. Moi, j'étais petite et je ne comprenais rien. Je ne comprenais pas pourquoi, du jour au lendemain, des gens que je prenais pour des amis faisaient semblant de ne pas nous voir quand ils nous croisaient dans la rue. Pourquoi certains voisins ne répondaient plus quand ma mère leur disait bonjour. Pourquoi je n'étais plus invitée à jouer chez l'une de mes meilleures amies. Mes parents m'ont beaucoup protégée, et puis on a déménagé et les choses ont fini par redevenir normales, mais le sentiment d'être écarté, exclu, de ne pas être à sa place, je ne l'ai jamais oublié. Et en me trouvant face à des personnes qui vivaient cela…

L'émotion empêche Emma de poursuivre, mais elle n'a pas besoin d'achever sa phrase. L'écrivain a eu sa réponse, et cette fois, il s'adresse à son hôtesse sur un ton résolument léger.

— Si je comprends bien, ils sont toujours dans le garage ?

— Oui, pour deux jours encore, puis Virginie viendra les chercher.

— Je crois qu'ils ont passé assez de temps à l'ombre, intervient Juliette, tu ne crois pas qu'on pourrait les faire dormir dans la chambre de papa ?

— Si, bien sûr. Mais… Les Néerlandais ?

— Ils partent tôt demain, je vais les appeler pour leur expliquer ce qui est arrivé à Edgar et leur dire qu'on ne fera pas table d'hôtes ce soir, ils comprendront. Et puis, s'ils croisent nos invités dans la maison, ils les prendront pour des touristes, où est le problème ?

Sans attendre la réponse, elle sort leur téléphoner. Resté seul avec Emma, Pierre se lève et lui tend la main pour l'inviter à se lever.

— Vos amis doivent être encore plus angoissés après ce qui s'est passé cet après-midi, on va les chercher ?

Assise dans la cuisine, Emma relit pour la énième fois la recette du filet de lieu aux petits légumes, se raccrochant désespérément à la petite pastille rose qui indique « Facile ».

Une migraine entêtante embrume son esprit, et elle s'interrompt le temps d'avaler un cachet d'aspirine. La veille au soir, accompagnée de Juliette et de Pierre, elle est allée rendre visite à Azlan et Levna dans le logement mis à leur disposition par l'association ; Virginie est confiante quant à l'issue de la procédure et ils ont célébré ensemble la perspective d'une vie au grand jour. Pour Emma, Azlan a tout simplement sauvé la vie d'Edgar, ce qui fait de lui et de sa femme des amis qu'elle chérira jusqu'à la fin de ses jours. Tant que leur situation n'est pas régularisée, il faut faire preuve de la plus grande discrétion en allant les voir, mais ce n'est pas pour déplaire à la Britannique, toujours en première ligne dès qu'il y a une loi à enfreindre. Ils ont partagé un repas improvisé en bavardant à bâtons rompus, et malgré le confort minimal de l'appartement et du mobilier, cela faisait longtemps qu'Emma n'avait pas passé une si bonne soirée, oubliant même son allergie aux sulfites pour trinquer à plusieurs reprises avec ses amis.

« Pour le prochain dîner, Edgar sera parmi nous », décide-t-elle en son for intérieur, et animée par cette joyeuse perspective, elle se remet aux fourneaux.

Après son infarctus, Edgar a subi une intervention chirurgicale ; il est toujours hospitalisé et son médecin a recommandé un régime limitant l'apport en graisses saturées et en cholestérol. C'est une décision qu'Emma approuve ; cependant, au-delà de l'intention louable d'élaborer des repas équilibrés, ceux qui sont servis à son ami correspondent plutôt à l'idée qu'elle se fait d'un menu carcéral, et elle ne voit pas comment on peut reprendre goût à la vie en mangeant des plats qui n'en ont aucun.

Ainsi, chaque jour, elle s'attelle à la confection de mets diététiques en priant pour qu'ils aient un minimum de saveur et soient aussi appétissants que ceux des photos dont elle s'inspire. Juliette l'aide lorsqu'elle le peut, c'est-à-dire quand les courses, le ménage et la préparation des petits déjeuners lui en laissent le temps.

Même si l'activité de table d'hôtes a été suspendue en l'absence du maître d'hôtel, Emma est aussi débordée que sa petite-fille : dès 9 heures, elle prend le petit déjeuner avec les résidents du Mas ; elle s'aventure ensuite dans la cuisine afin de mitonner des petits plats pour Edgar, ce qui lui prend un temps fou étant donné qu'elle doit souvent faire appel à un dictionnaire pour traduire le nom des ustensiles requis, avant d'interroger Juliette sur la façon dont on se sert de ces objets étranges. Il faut ajouter à cela le temps de ses maladresses, celui de ses hésitations, et les occasionnelles crises de confiance en soi qui la poussent à changer de recette en cours de route. Au bout du compte, là où une préparation est estimée à vingt minutes, il n'est pas rare que cela se traduise par deux heures d'efforts soutenus pour Emma. Et comme elle met un point d'honneur à concocter l'intégralité du dîner d'Edgar, toute la matinée y passe.

Lorsque tout est enfin prêt, les deux femmes grignotent rapidement puis partent lui rendre visite ; en chemin, elles s'arrêtent pour acheter un petit goûter qu'elles prendront avec lui, lui prennent des journaux chez Isabelle, et lorsqu'elles arrivent enfin dans la chambre du patient, s'il est en train de faire la sieste, il n'est pas rare qu'elles s'effondrent dans les fauteuils et en fassent autant.

Au bout d'une semaine cependant, le rythme est pris ; les recettes simples choisies par Juliette permettent à sa grand-mère de prendre un peu d'assurance en cuisine, elle participe désormais au service des petits déjeuners, et grâce à leurs efforts, le Mas continue de tourner.

Toute cette activité est salutaire pour Emma, à qui la crise cardiaque de son fidèle ami a fait revivre l'horrible scène au cours de laquelle elle a perdu son mari. Elle lui a aussi rappelé l'âge d'Edgar et le sien, ainsi que la douloureuse perspective de déclin qui les guette. Profondément ébranlée, elle se jette à corps perdu dans toutes les occupations qui s'offrent à elle, mais vacille lorsqu'elle est seule.

Le soir notamment, elle va et vient, plus vulnérable que jamais, se trouvant soudain perdue en l'absence d'Edgar, si prévenant qu'il en devançait ses envies, au point qu'elle n'a jamais vraiment eu conscience de tout ce qu'il faisait pour elle. Comme si elle se cherchait des repères, elle touche machinalement les meubles de sa maison, s'arrêtant sur quelques pièces qu'elle redécouvre. À travers leur matière brute, elle retrouve une forme de prise sur le petit monde qui est le sien, et n'en finit pas de se dérober. Parfois, la beauté d'une œuvre d'art la console de ses pertes, en venant lui rappeler qu'il reste encore quelques choses sur Terre qui sont éternelles. Puis elle frissonne, cherche en vain un plaid que seul Edgar saurait trouver, et regagne le cocon sécurisant de sa chambre bleue.

Juliette l'observe à la dérobée. Sans sa belle assurance, elle ressemble à un félin blessé, alliant grâce et fragilité, se cachant pour panser ses blessures, et plus que jamais, la jeune femme se montre prévenante envers sa grand-mère.

Avec Pierre, ils déploient toute leur énergie pour la distraire, et au fil des jours, son humour et sa nature d'épicurienne reprennent le dessus. Mais pour ceux qui la connaissent intimement, il ne suffit pas qu'elle ait retrouvé son appétit pour qu'elle soit guérie pour de bon, il faut aussi qu'elle renoue avec ses excès légendaires. Emma leur en fait la démonstration un soir où elle a à peine touché à son assiette et décide d'aller se coucher dès la fin du repas, prétextant des maux d'estomac.

— C'est peut-être un virus ? s'inquiète sa petite-fille.

— Non, ce n'est pas ça. Tu te souviens qu'hier, Edgar a reçu une boîte de chocolats industriels ? Quand tu m'as déposée, il dormait, alors je suis allée lui en acheter des bons, rien que du chocolat noir, comme il aime. Quand je suis remontée, il dormait toujours, et comme je m'ennuyais, j'ai mangé les mauvais chocolats. Et depuis, j'ai mal au cœur.

— Vous en avez mangé beaucoup ? lui demande Pierre.

— Toute la boîte.

L'écrivain s'étrangle sur sa gorgée de café.

— Mais pourquoi, s'ils étaient mauvais ?

Emma fait une moue fataliste.

— *You don't understand. I'm an addict.**

Elle leur adresse un petit sourire espiègle et quitte la pièce. Juliette et Pierre échangent un regard entendu : ils ont retrouvé leur Emma.

* Vous ne comprenez pas. Je suis accro.

Emma ouvre les yeux et s'étire langoureusement. Sa pendule indique 18 heures. Elle aurait bien dormi une heure de plus, mais le bruit d'une voiture pénétrant dans la propriété l'a tirée de sa sieste. C'est probablement Juliette qui, après leur visite quotidienne à Edgar, va souvent faire quelques longueurs à la piscine.

Une portière claque, puis une deuxième, et des voix d'hommes se font entendre.

Emma se redresse d'un coup et se penche à la fenêtre. Deux gendarmes rôdent autour de la maison. Apercevant Emma, ils viennent à sa rencontre.

— Vous êtes bien Madame Dubreuil ?

— Oui.

— Gendarmerie nationale. Nous aimerions vous poser quelques questions, c'est possible ?

— Bien entendu, donnez-moi une minute, je viens vous ouvrir.

La Britannique s'éloigne de la fenêtre et s'adosse contre le mur. Ils sont sûrement venus au sujet d'Azlan et Levna. Son cœur s'emballe.

Elle réfléchit quelques instants, puis se reprend : si ses amis ont été arrêtés, c'est une catastrophe, et elle se fiche bien des sanctions qu'elle devra assumer pour les avoir hébergés. Mais peut-être aussi que la police ignore où ils sont, et cherche juste des indices. Il va falloir la jouer fine.

Elle enfile ses sandales, vérifie que sa mise en plis est bien en place, se met du rouge à lèvres, et se dirige d'un pas décidé vers la porte d'entrée. Quand elle l'ouvre, elle est armée de son plus beau sourire.

— Depuis le temps que je vous attendais !

Devant elle, un gendarme d'une cinquantaine d'années et son coéquipier, une jeune recrue, échangent un coup d'œil surpris.

— Vraiment ? demande le plus âgé des deux.

— Mais oui ! J'ai toutes les autorisations, et franchement, avec mon ami Edgar – le pauvre, il est hospitalisé, une crise cardiaque, il est tombé raide sous mes yeux, je vous raconterai… Où en étais-je ? Oui, avec Edgar et ma petite-fille Juliette – elle est un peu névrosée mais c'est un vrai sucre d'orge – on s'est donné un mal de chien !

— Mais de quoi parlez-vous, madame ?

— Mais… du Mas ! De ma nouvelle activité de chambres d'hôtes ! Vous ne venez pas vérifier mes licences et mes petites affichettes avec les prix ?

— Ah non, pas du tout.

— Mais pourquoi venez-vous alors ? demande-t-elle en affectant son air le plus ingénu.

— Il y a un certain nombre de clandestins dans la région, dont un couple qui a été aperçu près de chez vous. Nous voudrions savoir si vous les avez vus. Ils ont une trentaine d'années, bruns, la peau mate, ce sont des Roms…

— Non, ça ne me dit rien. Mais donnez-vous la peine d'entrer, je vous en prie ! Venez, on va s'asseoir dans le salon...

— Ce ne sera pas nécessaire, nous n'en avons pas pour longtemps.

— Comme vous voudrez. Comment vous appelez-vous ?

— Capitaine Robert Cavaillole, dit l'aîné en s'inclinant.

— Adjudant Damien Fourneron, ajoute son collègue, visiblement aussi impressionné par les lieux que par leur propriétaire.

— Ça vous ennuie si on s'appelle par nos petits noms ? Moi c'est Emma. C'est comme ça chez les Britanniques, se justifie-t-elle en forçant légèrement sur son accent. Je peux vous offrir quelque chose à boire ?

— Non merci, répond le capitaine Cavaillole. Il y a deux personnes qui ont vu ce couple près de votre maison durant la nuit, vous avez peut-être remarqué quelque chose ?

— Non, rien du tout. Et pourtant j'ai le sommeil léger ! Ils sont dangereux ?

— Pas que je sache.

— Ah, tant mieux ! Mais... ces gens qui les ont vus, qui sont-ils ?

— Je ne connais pas leur identité, ce n'est pas moi qui ai recueilli leur déposition, enfin ça n'a pas d'importance.

— Je comprends. Mais tout de même, ça veut dire que ces témoins, eux aussi ils étaient en train de rôder près de chez moi ?

— Comment ça ?

— S'ils sont venus assez près d'ici pour voir des gens rôder, mais qu'ils ne sont pas venus me le dire, ça m'inquiète ! Parce que si c'était des amis, ils m'auraient prévenue, non ?

— Je... ne sais pas.

— Mon petit Damien, qu'en pensez-vous ?

— Euh... pas grand-chose.

— En tout cas, je suis bien contente de voir que vous faites bien votre travail et que vous veillez sur moi, c'est rassurant. Vous savez, c'est difficile de vieillir pour une femme seule... Robert, vous me comprenez ?

— Tout à fait, mais vous n'avez rien à craindre, madame !

— C'est Emma, vous vous souvenez ? Et dites-moi, ces témoins, ils n'auraient pas pu confondre vos fugitifs avec mes hôtes ? Parce que, comme je vous le disais, je loue des chambres depuis cet été, alors il y a beaucoup de passage... Et après le dîner, il n'est pas rare qu'ils aillent faire quelques pas dehors pour digérer, surtout quand on fait du confit de canard avec des pommes à l'ail. Vous aimez ça, Robert ? demande-t-elle en lorgnant avec bienveillance sur sa bedaine.

— Ah ben ça... avoue-t-il.

— Alors il faudra venir dîner la prochaine fois. Avec madame, bien sûr, s'il y a une madame... ?

Le capitaine acquiesce d'un air navré, auquel elle répond par un petit soupir.

— Bon. Vous voulez peut-être fouiller la maison ?

— Non, ce ne sera pas nécessaire.

— Vous êtes sûr ? Et si je vous montrais ma comptabilité ?

— Non plus, merci.

— C'est dommage, parce que tout est en ordre !

— Je n'en doute pas. Il y a d'autres personnes que nous pourrions interroger ?

— Oui, ma petite-fille, elle ne va pas tarder. Sinon il y a Edgar, qui est à l'hôpital de Marmande depuis sa crise cardiaque. Le médecin a dit de le ménager mais c'est vous qui voyez...

— Et parmi vos hôtes ?

— Je n'en ai qu'un en ce moment, Pierre Lombard, un écrivain. Venez, je vais vous le présenter.

Emma les emmène jusqu'à sa chambre, et frappe doucement à la porte.

— Désolée de vous déranger, Pierre, je suis avec deux messieurs de la police, on peut vous déranger un instant ?

L'intéressé les fait entrer, accueille avec courtoisie les deux collègues, qui prennent rapidement congé en apprenant que lui non plus n'a rien vu ni rien entendu.

— Je peux vous offrir un brandy ? leur propose Emma en redescendant. C'est l'équivalent de votre cognac...

— C'est gentil, mais on ne peut pas accepter, pas pendant le service.

— Même si le service est à l'heure de l'apéritif ? roucoule-t-elle.

— Même, déplore Robert.

— Vous faites un métier bien difficile, conclut-elle en enveloppant le jeune adjudant d'un regard compatissant. Venez au moins vous asseoir en attendant Juliette.

— On ne peut pas l'attendre, il faut qu'on y aille. Voilà un numéro où nous joindre au cas où elle aurait vu quelque chose, conclut Robert en lui tendant la carte de la gendarmerie. Désolé pour le dérangement.

— Vous ne m'avez pas dérangée du tout, bien au contraire, c'est un honneur de recevoir des gardiens de la paix ! Vous portez un si joli titre, ça m'a souvent fait rêver...

Emma les raccompagne à la porte

— Vous nous faites signe si vous voyez ce couple ou d'autres gens qui ont l'air de se cacher ? lui demande le capitaine.

— Bien sûr... Enfin, c'est un peu cruel de me demander ça, Robert. Moi aussi je suis une étrangère...

— C'est tout à fait différent ! s'insurge l'intéressé.

— Vous croyez ?

Elle plante ses yeux noirs dans les siens, laisse planer le doute durant quelques secondes, puis affiche à nouveau un grand sourire.

— Repassez quand vous voulez, vous serez toujours les bienvenus !

Encore une semaine et Pierre aura quitté le Mas. Il a déjà prolongé son séjour deux fois et s'y sent très heureux, mais diverses obligations l'attendent à Paris et son objectif de travail est atteint, puisqu'il aura bientôt terminé son roman.

Un petit rituel s'est établi entre Juliette et lui : tous les jours, vers 17 heures, elle lui monte un thé qu'ils prennent ensemble, il fait alors une pause au cours de laquelle la jeune femme lit ce qu'il a écrit depuis la veille. À la demande de l'écrivain, elle lui donne son avis sur la façon dont il fait évoluer son récit et les personnages, et l'aide de son mieux lorsqu'il est en panne d'inspiration. Parfois aussi, ils se lancent dans de grandes conversations et oublient de travailler.

Cet après-midi, il est au téléphone quand elle entre dans sa chambre, elle pose donc le plateau et s'apprête à ressortir, mais il la retient d'un geste.

— Tu es de plus en plus pénible, coco, fous-moi la paix ! s'exclame-t-il avant de raccrocher.

Une querelle d'amoureux, se dit Juliette en s'asseyant à sa place habituelle.

— J'aimerais réserver la Nature pour mes deux dernières nuits ici, lui dit Pierre, elle est libre ?

— Oui, c'est pour qui ?

Pierre désigne l'homme en photo avec lui sur le voilier.

— Vous faites chambre à part ? demande timidement Juliette.

— Quelle question ! À notre âge, l'inverse serait un peu étrange, vous ne pensez pas ?

— Euh… Je ne sais pas.

— Il a fait ses nuits lorsqu'il avait environ trois mois et figurez-vous que depuis, il dort dans sa chambre, comme un grand ! Alors on va dire qu'on continue comme ça, conclut-il, amusé.

Juliette le regarde sans comprendre.

— Mais de qui parlez-vous ?

— De mon fils, de qui d'autre ?!

— C'est votre fils ? Quand j'ai vu la photo, j'ai cru que c'était votre compagnon, avoue-t-elle, un peu gênée.

Pierre sourit.

— Je vois. Eh non, vous vous êtes trompée.

— Vous vous disputez beaucoup ?

— Non. Mais je lui ai raconté ce qui était arrivé à Edgar et il m'a pris rendez-vous pour faire un check-up en rentrant à Paris. Je ne sais pas pourquoi il s'inquiète autant pour moi, c'est une vraie mère poule, ça m'exaspère.

— Il fait quoi dans la vie ?

— Avocat. C'est un bourreau de travail, j'ai dû me bagarrer pour le convaincre de venir me rejoindre ici. Ça fait des années qu'il ne m'accompagne plus lorsque je pars plusieurs jours sur mon bateau, sous prétexte qu'on ne capte rien en pleine mer. Il ne sait pas profiter de la vie. Ni improviser, ou prendre du bon temps lorsqu'il se présente... Pourtant, sa dernière petite amie l'a quitté parce qu'il passait ses soirées et ses week-ends à travailler – à croire qu'il n'a toujours pas compris.

L'écrivain verse le thé dans les tasses et conclut :

— Avec tout le respect que je lui dois, il est con comme un balai !

Juliette éclate de rire.

— Edgar serait outré s'il vous entendait ! Ma grand-mère commence à déteindre sur vous, et je ne suis pas certaine que ce soit une bonne chose ! Cela dit, pour ce qui est de profiter de la vie, votre fils va être à bonne école avec elle. Pareil pour l'improvisation !

— C'est vrai. Quand je pense que je n'ai jamais soupçonné la présence d'Azlan et Levna, alors qu'ils étaient juste à quelques mètres de nous... Je n'aurais pas imaginé non plus qu'Emma déploierait autant de ressources en l'absence d'Edgar. Comment ça va se passer à son retour, est-ce qu'il pourra travailler ?

— D'après les médecins, oui, mais à un rythme raisonnable. Je ne pense pas qu'on pourra relancer la table d'hôtes.

— Pas sans vous, en tout cas. Quand avez-vous prévu de rentrer à Paris ?

— Je n'ai pas d'obligations.

— Mais vous avez bien reprogrammé votre soutenance ?

— Non. Je n'ai jamais réussi à me replonger dans mon texte, alors... C'est affreux, mais plus le temps passe, moins j'ai l'impression que j'y arriverai.

— Alors il faut changer de cap.

— Comment ça ?

— Trouver votre voie. Celle qui vous convient.

— Je n'ai pas d'idées.

— Un métier qui vous permette d'écrire.

Juliette sursaute, comme s'il avait dit une obscénité. Elle songe à protester, mais ne trouve aucune objection, et Pierre poursuit.

— Vous m'avez dit vous-même que vous preniez beaucoup de plaisir à travailler avec moi et je suis certain que vous aimez écrire. Et puis vous m'avez vraiment aidé quand j'avais du mal à avancer. D'ailleurs, vous l'avez bien vu : j'ai conservé plusieurs de vos idées.

— Les idées, ça ne suffit pas.

— Mais c'est un début.

Pudiquement, Juliette balaye ses propos d'un geste de la main et se tourne vers l'ordinateur.

— Bon, justement, on en était où ?

L'écrivain n'insiste pas ; il s'approche et parcourt le document pour revenir à ce qu'il a écrit en dernier ; un peu en retrait, Juliette médite les mots qu'il vient de prononcer. Un immense sourire illumine son visage.

Avec une patience infinie, Emma mélange délicatement les œufs brouillés jusqu'à ce qu'ils aient la consistance voulue : ni secs ni baveux. Ce samedi est un grand jour et la maîtresse de maison s'est levée plus tôt que de coutume ; sa petite-fille a d'abord eu la surprise de constater qu'elle ne l'avait pas attendue pour commencer à préparer le petit déjeuner, puis celle de l'entendre proposer de faire des œufs pour toute la tablée.

— Tu t'y prends bien ! constate Juliette, étonnée de la voir manier la spatule en toute dextérité.

— Oui, j'ai appris dans ma jeunesse et c'est normal que j'aie gardé le coup de main : c'est la seule chose que je mangeais jusqu'au moment où j'ai rencontré ton grand-père ! C'est lui qui m'a initiée à la cuisine française, puis à la gastronomie en général...

Une ombre de nostalgie passe sur son visage mais elle la chasse vite ; il est temps de retirer la poêle du feu ; elle l'empoigne à deux mains et retourne sur la terrasse où l'attendent Pierre et les derniers hôtes arrivés, un couple d'Espagnols faisant une courte étape dans la région avant d'aller visiter les châteaux de la Loire.

— Je ne les ai pas mis dans un plat, ils auraient refroidi ! précise Emma en servant ses convives.

Sans cérémonie, elle pose ensuite la poêle sur la desserte et prend sa place en tête de table. Aujourd'hui, elle porte une robe plissée jaune qui sied à son teint hâlé et à ses cheveux noirs, une couleur lumineuse exprimant la joie qu'elle éprouve à l'idée que dans quelques heures, son vieil ami sera de retour parmi eux.

Sitôt le petit déjeuner terminé, c'est le branle-bas de combat : Pierre part chercher son fils à l'aéroport de Bordeaux et dès son retour, il prêtera sa voiture à Juliette et Emma afin qu'elles aillent chercher Edgar. Les Espagnols se hâtent de boucler leurs bagages et de libérer leur chambre, car une longue route les attend. Juliette a préparé leur note, mais elle est dans la buanderie au moment de leur départ et c'est tout naturellement qu'Emma se charge de la leur présenter.

— Ça va ? Tu n'es pas traumatisée ? s'amuse la jeune femme en trouvant sa grand-mère, le chèque à la main.

— Non, en fait c'est plutôt amusant, cette histoire d'encaissement, ça me rappelle quand je jouais à la marchande avec ma cousine. En plus, comme ils ont vu que j'aimais les œufs, ils m'ont donné leur recette pour faire une bonne tortilla – dire que j'aurais pu rater ça !

Aussitôt seules, les deux femmes se mettent au travail : tout doit être parfait pour accueillir le convalescent, dans la « petite maison » comme dans la grande, et Emma les fleurit toutes les deux avec le même plaisir.

— Allons préparer la chambre d'Edgar, décide-t-elle.

Elle ouvre grand la fenêtre et commence consciencieusement à changer les draps, sous le regard ironique de sa petite-fille.

— Attention à l'excès de zèle, tu me donnes envie de t'embaucher pour faire les lits de nos hôtes !

À ces mots, la Britannique se redresse et s'étire en grimaçant.

— C'est vrai que je n'arrête pas de rajeunir, mais il faut que je ménage mon dos, il est fragile !

Enfin, tout est prêt et elles n'ont plus qu'à aller se préparer. Quand Emma ressort de sa chambre, aussi apprêtée que si elle était attendue à Buckingham Palace, elle tombe nez à nez avec Pierre, de retour avec son fils Mathieu. Elle les accueille chaleureusement, leur offre un café et gronde l'écrivain, coupable d'avoir trop attendu pour lui présenter son magnifique garçon.

Elle a eu le temps d'apercevoir Juliette, debout en haut de l'escalier et qui s'apprêtait à descendre, les cheveux encore humides et portant ce qu'elle appelle son uniforme – un jean et des baskets –, mais celle-ci a disparu presque aussitôt. Dix minutes plus tard, lorsqu'elle vient se joindre à eux, elle porte sa robe préférée, des sandales, et s'est légèrement maquillée.

Sa grand-mère se garde de tout commentaire tandis qu'elle l'observe se cogner contre un meuble en traversant le salon, rougir sous ses taches de rousseur quand Pierre lui présente Mathieu, et renverser son café sur la table basse. Et ce n'est qu'une fois qu'elles sont toutes les deux installées dans la voiture qu'elle lui demande :

— Naturellement, la jolie robe et le maquillage, c'est pour faire honneur à Edgar ?

— Naturellement, sourit Juliette.

Et par la fenêtre baissée, elle adresse un joyeux signe de main aux deux hommes restés sur le perron.

# Remerciements

À Jérôme, mon indispensable lecteur et ami, à Laurence, pour avoir partagé avec moi l'amour de sa belle région et tant d'autres choses, à Isabelle et Fabienne pour être ce qu'elles sont.

À Chrysoula, dont la beauté, la grâce et l'exubérance vont bien au-delà de celles de Lady M, et qui ne cesse de m'éblouir depuis mon premier jour.

Composition et mise en pages
Nord Compo à Villeneuve-d'Ascq

Fleuve Éditions
12, avenue d'Italie
75627 Paris Cedex 13

Achevé d'imprimer en avril 2015
sur les presses de Normandie Roto Impression s.a.s.
N° d'imprimeur : 1501875
Dépôt légal : mai 2015
R09837/01

*Imprimé en France*